DU MÊME AUTEUR

Aux Éditions Gallimard

PARTIR, 2006 (Folio n° 4525).

GIACOMETTI. LA RUE D'UN SEUL suivi de VISITE FANTÔME DE L'ATELIER, 2006.

LE DISCOURS DU CHAMEAU suivi de JÉNINE ET AUTRES POÈMES, 2007 (Poésie/Gallimard n° 427).

SUR MA MÈRE, 2008 (Folio n° 4923).

AU PAYS, 2009 (Folio n° 5145).

MARABOUTS, MAROC, 2009. Avec des photographies d'Antonio Cores et de Beatriz del Rio et des dessins de Claudio Bravo.

LETTRE À DELACROIX, 2010 (Folio n° 5086). Précédemment paru en 2005 dans *Delacroix au Maroc* aux Éditions F.M.R.

HARROUDA, 2010.

BECKETT ET GENET, UN THÉ À TANGER, 2010.

JEAN GENET, MENTEUR SUBLIME, 2010.

PAR LE FEU, 2011.

Aux Éditions Denoël

HARROUDA, 1973 (Folio n° 1981) également paru en 1991 avec des illustrations de Baudoin, Bibliothèque Futuropolis.

LA RÉCLUSION SOLITAIRE, 1976 (Points-Seuil).

Aux Éditions du Seuil

LA PLUS HAUTE DES SOLITUDES, 1977 (Points-Seuil).

MOHA LE FOU, MOHA LE SAGE, 1978 (Points-Seuil). Prix des Bibliothécaires de France, Prix Radio-Monte-Carlo, 1979.

LA PRIÈRE DE L'ABSENT, 1981 (Points-Seuil).

L'ÉCRIVAIN PUBLIC, 1983 (Points-Seuil).

HOSPITALITÉ FRANÇAISE, 1984. Nouvelle édition en 1997 (Points-Seuil).

Suite des œuvres de Tahar Ben Jelloun en fin de volume

L'ÉTINCELLE

RÉVOLTES DANS LES PAYS ARABES

TAHAR BEN JELLOUN

de l'Académie Goncourt

L'ÉTINCELLE

Révoltes dans les pays arabes

GALLIMARD

Introduction

On déplore souvent dans les débats à la télévision ou à la radio « le silence des intellectuels arabes ». Depuis que le monde arabe dans sa diversité et sa complexité vit sous des dictatures plus ou moins déclarées et reconnues — un demi-siècle environ —, les intellectuels ne se sont pourtant jamais tus ni résignés à vivre dans le mépris et l'humiliation. Beaucoup ont payé leur engagement par des années de prison agrémentées de tortures et de toutes sortes de privations sadiques. La liste est longue de ceux qui ont perdu leur vie en défendant les droits de l'homme. Leur crime aura été le simple fait de réclamer justice et liberté pour le citoyen arabe afin que l'individu en tant qu'entité unique et singulière puisse émerger et être reconnu. Des livres ont été écrits, la plupart interdits, et peu ont été traduits. Un certain nombre de médias en Égypte, au Liban, en Algérie ou au Maroc ont également osé régulièrement décrire et dénoncer dans leurs colonnes ou leurs émissions les systèmes politiques qui viennent ces derniers mois de déposer leur bilan et de faire faillite, avec, en prime, la démission ou la fuite de deux dictateurs bien installés. Alors, de grâce, ne nous envoyez plus à la figure cette critique sans fondement : « les intellectuels arabes ne réagissent pas ». Non seulement ils réagissent, mais ils prennent chaque fois des risques qu'aucun intellectuel occidental n'a jamais pris.

J'ai tenu à écrire ce livre bref pour expliquer ce qui se passe aujourd'hui dans le monde arabe, car, si personne ne pouvait prévoir ce printemps révolutionnaire, on en pouvait lire, ces dernières années, bien des signes avant-coureurs. Les nombreux articles que j'ai écrits dans la presse internationale cette dernière décennie, et mon voyage en Libye en 2003, m'ont permis de constater une exaspération générale des populations arabes, victimes de régimes inacceptables. La patience des peuples a ses limites, le vase devait finir par déborder : il s'est brisé en mille morceaux...

La plus grande victoire de ce printemps arabe vient de sa maturité. Les gens sont sortis dans les rues de manière spontanée, décidés à aller jusqu'au bout, sans suivre les ordres d'un quelconque leader, chef de parti ou encore moins chef d'un mouvement religieux. La victoire est là : une révolution naturelle, à l'image d'un fruit qui a tant mûri qu'un jour d'hiver il tombe tout seul, entraînant avec lui d'autres fruits : les arbres se sont mis à danser comme dans un temps de festivité heureuse. Personne ne peut s'emparer de ce mouvement dont l'onde de choc s'est propagée très loin. Elle est arrivée jusqu'en Chine et atteindra probablement un jour les banlieues pathogènes d'Europe.

Enfin, ce printemps signe la défaite de l'islamisme. Les militants islamistes furent absents et surpris par l'ampleur des manifestations. De nouvelles valeurs — en fait de vieilles valeurs — ont envahi le champ de la contestation arabe : liberté, dignité, justice, égalité. Le « logiciel islamiste », comme ont dit certains, a raté le coche. Facebook, Twitter, Internet et de nouvelles formes d'imagination et d'action politique ont balayé le discours lénifiant, anachronique et stupide de l'islamisme, qui s'appuyait sur l'irrationnel et la fanatisation névrotique pour se répandre. Dans les grandes manifestations, aucun slogan contre les autres, les étrangers, les Européens ou les Israéliens. Cette fois-ci, les Arabes ont pris leur destin en main et ont décidé de monter dans le train de la modernité sans évoquer d'alibi, sans culpabiliser le reste du monde. Ce qu'ils feront de cette dignité retrouvée les regarde. Ils improviseront, feront probablement des erreurs, mais ils savent que plus jamais ils ne vivront comme des sous-hommes écrasés par un dictateur éclairé ou obscur, ridicule ou féroce.

Et si aujourd'hui ces révoltes peuvent être qualifiées de « révolutions », c'est parce qu'elles sont d'abord et avant tout portées par des revendications d'ordre éthique et moral.

Dans la tête de Moubarak

En ce 10 février 2011, Hosni Moubarak est contrarié : il n'a pas eu le temps de se teindre les cheveux. Il ne fait plus de sport pour se maintenir en forme. Il est très contrarié parce que son peuple insiste pour le voir quitter le pouvoir et même l'Égypte. Mais il s'accroche. Il ne veut rien lâcher. Tout s'écroule autour de lui. Comme s'il était aspiré par des sables mouvants. Il tend la main. Personne ne la prend. Le vent l'a décoiffé. Il songe soudain à ce matin d'octobre 1981 où des islamistes tirèrent sur l'assistance lors d'un défilé militaire. Une balle l'a frôlé ; elle a déchiré sa veste bleue de général sans le blesser. Anouar el-Sadate gît par terre, mort. La panique et le chaos, soudain. Il repense à ces heures où l'assassinat de son chef fit de lui le nouveau président de la République d'Égypte. Trente ans ont passé et le voilà non pas face à un commando tirant dans le tas, mais face à un peuple pacifique qui ne veut plus de lui. Il ne lui en veut même pas. Il n'en peut plus, c'est tout. Mou-

barak se regarde dans la glace et a envie de pleurer.
Mais il n'est pas du genre à chialer parce que la roue
tourne en sa défaveur. Il a perdu quelques kilos; son
teint est pâle; il n'a plus d'appétit. Suzanne, sa femme,
et leur fils ont pris la précaution d'aller se faire oublier
à Londres. Lui ne peut pas sortir de son palais. Il sait
que s'il met le nez dehors, le peuple le lynchera. Il
a commis trop d'injustices, trop de crimes pour ne
pas payer. Comme nombre de dirigeants arabes, il a
confondu le pays et sa maison. Il a cru que l'Égypte,
en tant qu'État et nation, était sa propriété privée,
qu'il pouvait en disposer comme il voulait. Il a su
amasser beaucoup d'argent, tellement d'argent qu'il
lui faudrait plusieurs vies pour en jouir entièrement. Il
s'est adressé à Dieu et lui a réclamé une longue vie, la
santé, la jeunesse et le pouvoir absolu. Il a mis quelques
années pour mettre sur pied le système qui lui a permis
de se maintenir au pouvoir aussi longtemps; créé un
parti (le Parti national démocratique); créé une police
omniprésente et totalement dévouée à son système; il
a aussi mis en place un processus de corruption qui
l'enrichit et appauvrit le pays. Le réseau de renseignements est calqué sur celui des anciens pays communistes. Tout cela existait auparavant; il l'a juste adapté
à ses besoins, à son appétit. Il avait vu faire Nasser
puis Sadate et il s'est dit « Pourquoi se gêner ? »,
même si Nasser, lui, n'était pas un chef d'État affairiste. Moubarak a décrété l'état d'urgence, a fabriqué

un Parlement sur mesure, a mis ses hommes aux postes stratégiques dans les médias, a joué la carte du danger islamiste pour justifier la répression, les arrestations et la torture. Il a été un bon ami des Américains et des Israéliens. Il a toujours offert l'hospitalité aux responsables politiques occidentaux en visite privée en Égypte. On se souvient des vacances de fin d'année de François Mitterrand à Louxor, et de tant d'autres dirigeants européens. Il a toujours entretenu, enfin, de très bons rapports avec la plupart des émirats du Golfe.

Mais, à l'heure présente, la populace misérable l'empêche de prendre son petit déjeuner dans son jardin, et surtout il n'a plus envie de se teindre les cheveux. Quelqu'un lui a dit que c'était un peu efféminé. Il n'a pas goûté la plaisanterie.

Au début de son règne, des *noukats*, des blagues, circulaient sur Moubarak. Chaque jour, il y en avait une nouvelle, cela l'énervait et, n'ayant aucun humour, il décida de lancer ses services de renseignements à la recherche du salaud qui le ridiculisait. Très vite on découvrit un pauvre homme, un vieillard attablé dans un petit café populaire de Khan al-Khalil. On l'arrêta et on l'amena devant le président. Quand celui-ci le vit, il ne comprit pas comment ce vieil homme édenté, misérable, réussissait à lui seul à nuire à son image de grand raïs. Comme il était bien trop vieux pour être torturé, Moubarak décida de lui faire des réprimandes :

— Comment se fait-il que tu racontes des choses aussi horribles sur moi, moi qui ai sauvé ce pays de la misère, moi qui ai apporté la liberté, la prospérité et la démocratie à ce peuple ingrat ! Cesse donc tes mensonges ! Sache que moi, Moubarak, je suis, de tous les Égyptiens, celui qui travaille le plus pour le bien du pays. Je ne dors pas, je ne fais que penser à la façon d'améliorer encore et encore la vie de mes concitoyens...

Le vieux l'arrêta et lui dit :

— Oh, monsieur le Président, je vous jure que cette blague, je ne l'ai jamais racontée...

Dans la tête de Moubarak il y a deux araignées, l'une blanche, l'autre grise. Elles ne sont pas d'accord avec le raïs. Elles se chamaillent et lui donnent des migraines insupportables. Il ne comprend pas ce qui peut bien en être la cause. Il est malheureux, très malheureux. Il se sent trahi, rejeté, abandonné et ne parvient pas à comprendre de quoi il est coupable et pourquoi le peuple réclame avec tant d'acharnement son départ. Il est persuadé que durant toute sa vie il a œuvré pour le peuple égyptien, qu'il a défendu le pays et ses frontières sur le plan international, qu'il a été un bon soldat, courageux, valeureux, un citoyen exemplaire. Tout ça lui tombe sur la tête et il ne sait plus où il est, ni où il en est. Au début il pensait que la foule lui reprochait ses relations trop proches avec Israël. Même pas. Les gens criaient des slogans où ils n'accusaient ni l'impérialisme américain, ni le colonialisme israélien, ni l'Occident en général. Les mots d'ordre sont simples : liberté, dignité, fin des humiliations, des disparitions, de l'arbitraire policier. Comme les Tunisiens, les manifestants égyptiens ont adopté le fameux « Dégage ! ». Une révolution qui s'est faite avec un mot français, pendant que la France et ses hommes politiques étaient dépassés.

Victime, Moubarak se considère comme une victime de la précipitation, du désordre, de la pagaille. Et il vient de découvrir que personne ne se portera à son secours. La grande solitude, le grand silence, l'absolu isolement pointent à l'horizon. Voilà ses seules et dernières perspectives. Et encore, la Cour pénale internationale ne s'est pas exprimée sur son sort.

Il est comme un homme qui vient d'être quitté par la femme qu'il a cru aimer toute sa vie, et qui découvre que tout a été mensonge et tromperie. On jette sur la place publique son intimité, on rappelle sa cruauté, on fait défiler devant ses yeux les milliers d'Égyptiens torturés à mort ou disparus. Les araignées se mélangent les pattes. Il a atrocement mal. Il apprend la douleur et s'en étonne.

Plus que jamais son mépris du peuple est féroce. Il se dit : « Sans moi, les Égyptiens ne sauront jamais rien faire. Je les connais, ils sont paresseux, sans rigueur, sans exigence ; on peut les acheter pour rien ; ils mettront le pays dans des impasses, économique, politique et sociale. Après la fête et les débordements de joie, ils redécouvriront l'amère réalité du quotidien. Je suis certain qu'ils viendront pleurer devant ma porte. Alors, je les laisserai pourrir dans leur merde. C'est tout ce qu'ils méritent. La corruption est une deuxième nature chez eux, ils ne résisteront pas.

« Mais là... tout de suite... il faut que je m'occupe de ma migraine... Je vois des araignées partout... je vois noir... je ne vois plus rien... Je suis fini... Est-ce ainsi que les grands hommes meurent ? Quelle honte, quelle décadence ! Je ne veux voir personne... Suzanne, ma femme, a été bonne pour ce pays... Elle a donné de son temps et de son énergie pour que la vie sociale soit digne... Mais nous sommes entourés d'ingrats, d'enfants de putes... C'est ça... Ah, je titube, je risque de tomber, personne ne vient à mon secours... Je la regarde, la beauté éternelle de ce pays... Je comprends à présent que tant de touristes viennent le visiter... Une chose est sûre, c'est ici que je mourrai, pas ailleurs... »

Dans la tête de Ben Ali

Pendant que Moubarak a bien mal à la tête, que fait Ben Ali, le Tunisien, qui s'est enfui de son pays le 14 janvier? Il s'est exilé en Arabie saoudite. Une partie de sa fortune a été bloquée dans les banques européennes, ainsi que tous ses avoirs immobiliers en France (les siens et ceux de son entourage) — il devra prouver qu'ils ont été acquis avec un argent propre, son salaire par exemple. Un de ses jets privés a aussi été retenu en France, à l'aéroport du Bourget.

Que fait-il de ses journées? Il regarde la télévision. Il se laisse aller. Lui non plus n'a plus envie de se teindre les cheveux. Il déprime. Il vit dans une prison dorée. Il ne peut pas sortir, ne peut pas aller prendre un café dans le centre commercial le plus proche. Ben Ali voudrait pouvoir pleurer. Il revoit le corps entouré de bandages de Mohamed Bouazizi et il le maudit. Ben Ali ne croit plus en Dieu. Car Dieu est à présent avec les pauvres, avec des gens de la condition de Mohamed Bouazizi. « Il a fallu que cet imbécile se laisse emporter par la colère, mette le feu à ses habits, pour que moi, qui ai apporté la prospérité aux Tunisiens, je me retrouve aujourd'hui dans ce palais, seul, sans mes amis, sans mes jouets, sans rien! Et puis ces télévisions du monde entier m'énervent, elles disent n'importe quoi. Ma tête est pleine de ces images où seuls la *fawda*, le désordre et la panique intéressent les journalistes. Révolution? Pagaille, plutôt! Ils vont tout casser dans ce beau pays; au moins, moi, j'ai réussi à faire venir des millions de touristes, j'ai créé une classe moyenne, j'en ai fini avec les islamistes, j'ai travaillé pour rassurer les Occidentaux, et voilà que maintenant tout le monde me tourne le dos. L'être humain est ingrat. Je hais l'humanité. Je hais ce palais, cette climatisation excessive, ces boîtes de Kleenex avec leur couvercle doré, je hais ces paysages jaunes, blancs, et puis je n'aime pas leur nourriture. Mais là, je m'en fous, je n'ai plus faim, ce fils de pute de Bouazizi a foutu ma vie en l'air! Ce pays a voulu le chaos, eh bien il l'a; qu'il s'y complaise, il va déguster. C'est un peuple d'ingrats et de lâches; quand ils venaient me voir pour solliciter un poste ou une intervention, ils étaient pliés en quatre; aujourd'hui ils fanfaronnent! Pauvres types! Minables! Me faire ça à moi, qui me suis sacrifié pour eux! Ils ont mis du temps avant de se réveiller. Peuple d'ânes et d'hommes sans couilles. Si Dieu existe, si le Jugement dernier existe, ce sera une confrontation extraordinaire.

« Les gens s'imaginent que, lorsqu'on est chef d'État, on est en fer, en acier inoxydable. J'ai un cœur, j'ai des sentiments, j'aime les jardins et les bouquets de roses; j'aime la douceur de la vie et les couchers du soleil sur La Marsa.

« J'ai pleuré d'émotion à la naissance de mes petits-enfants. Oui, moi, le Raïs, il m'est arrivé de pleurer. Aujourd'hui, je n'ai plus de larmes. J'ai de la rage en moi, de la haine. J'ai mal agi, j'ai été mal conseillé. Il aurait fallu se battre comme fait Kadhafi, en ce moment. Il est fou, mais il ne dépose pas les armes, il n'abdique pas.

« Kadhafi a duré dix ans de plus que moi. Il s'est enrichi encore plus que moi et Moubarak réunis. Il tient tête au monde entier. Sa folie le mène vers la victoire. Tuer des centaines de Libyens n'a aucune importance, ce qui compte pour Kadhafi, c'est de sauver sa peau et ne pas finir devant un tribunal, comme Saddam Hussein. Je n'oublierai jamais les images de Saddam, ce jour où on l'a découvert dans sa cache, un vrai trou. Il avait l'air de quelqu'un qu'on a réveillé au beau milieu de la nuit, des mains fouillaient dans ses cheveux comme si elles y cherchaient des poux, d'autres vérifiaient l'état de ses dents… Quelle suprême humiliation!

« Quant à moi, jamais je n'aurais imaginé devoir partir à mon tour, quitter le pays et mendier un lieu d'asile. Au moins ai-je échappé à une fouille humiliante devant les caméras de CNN et d'Al Jazeera. Si nous sommes tombés, c'est à cause du travail de sape et de propagande d'un groupe de Frères musulmans qui s'est emparé d'Al Jazeera depuis le début. Il est malin l'émir du Qatar, ou plutôt sa femme, Cheikha Mozah. C'est elle qui a eu l'idée de cette chaîne de télé. C'est elle qui nous a tués. Pas un mot sur la situation du Qatar, évidemment. En revanche, le moindre événement dans les autres pays arabes est décortiqué, passe et repasse en boucle. Le complot est venu de là. À force de répéter que tel ou tel est un dictateur, les gens finissent par le croire. Il faut dire que mes gendres, ces fils de nouveaux riches, ne m'ont pas aidé. Quant à ma femme, elle s'est déchaînée, elle a voulu tout posséder, tout contrôler. Aucun homme en Tunisie n'est capable de résister à sa femme quand elle a décidé de prendre le pouvoir. Je suis bien placé pour en parler. J'avais beau lui dire "fais attention, dis à ton neveu de ne pas exagérer, un jour ça va aller mal...". Non, comme moi, elle croyait que cette vie où tout nous était permis était éternelle. Tout allait bien. Le pays était calme. Les commissariats et leurs policiers faisaient leur travail en toute discrétion. La presse étrangère n'entrait pas dans le pays. Les touristes raffolaient de Djerba et de Tozeur. Mais voilà, une bande de voyous harangués par des chômeurs, des vauriens, des fainéants sont venus gâcher tout ça. Les anciens l'ont dit : "L'Arabe doit être écrasé, sinon c'est lui qui t'écrase." Je n'ai pas été assez attentif aux messages des anciens... »

Révolte ? Révolution ?

Ce printemps en plein hiver ne ressemble à rien dans l'histoire récente du monde, à part peut-être un peu à la révolution des Œillets au Portugal (avril 1974). Jusque-là, les peuples arabes avaient pris l'habitude d'accepter et de subir leur sort, résignés. La région connut bien, de temps à autre, quelques mouvements de révolte, mais qui furent chaque fois durement réprimés, et les opposants tous éliminés. Le Maghreb et le Machrek ont ceci de commun : l'individu n'y est pas reconnu. Tout a été fait pour que l'émergence de l'individu en tant qu'entité singulière et unique soit empêchée. C'est la Révolution française qui a permis aux citoyens français de devenir des individus avec des droits et des devoirs. Dans le monde arabe, ce qu'on reconnaît, c'est le clan, la tribu, la famille, pas la personne en tant qu'individu. Or l'individu, c'est une voix, un sujet que le groupe ne peut soumettre ou contrôler. C'est une personne qui a son mot à dire et qui le dit en participant à des élections libres et sans trucage. La base de la démocratie est là ; c'est une culture qui repose sur un contrat social ; on élit quelqu'un pour représenter un peuple durant une période déterminée, et on le renouvelle dans ses fonctions ou bien on le renvoie.

Dans le monde arabe, les présidents de la République se conduisent comme des monarques absolus et se maintiennent au pouvoir par la force, par la corruption, par le mensonge et le chantage. Bachar al-Assad a succédé à son père Hafez al-Assad. Seif al-Islam est pressenti pour succéder à son père Kadhafi à sa mort. Moubarak a bien essayé d'imposer son fils pour lui succéder, mais avec la révolution de janvier tous ses plans sont tombés à l'eau. Le principe est toujours le même : une fois arrivés au pouvoir, ils pensent qu'ils y sont installés pour l'éternité, que le peuple le veuille ou non. Pour ne pas trop fâcher les Occidentaux, ils instaurent une sorte de « démocratie formelle », juste un maquillage, de la poudre lancée aux yeux des observateurs. En réalité, tout est entre leurs mains et ils ne tolèrent aucune contestation, aucune opposition. Le pays est leur chasse gardée, ils disposent de ses revenus, font des affaires, s'enrichissent et placent bien sûr toujours leur fortune dans des banques suisses, américaines ou européennes.

Ce qui s'est passé en Tunisie et en Égypte est une protestation de nature à la fois morale et éthique. C'est un rejet absolu et sans concession de l'autoritarisme, de la corruption, du vol des biens du pays, un rejet du népotisme, du favoritisme, un rejet de l'humiliation et de l'illégitimité qui est à la base de l'arrivée au pouvoir de ces dirigeants dont le comportement emprunte beaucoup aux méthodes de la mafia. Protestation pour établir enfin un peu d'hygiène morale dans une société qui a été tellement exploitée et humiliée.

C'est pour cela que ce n'est pas une révolution idéologique. Comme je l'ai écrit, il n'y a pas eu de leader, pas de chef, pas de parti qui porte la révolte en avant. Ce sont des millions de gens ordinaires qui sont sortis dans les rues parce que trop c'est trop! C'est une révolution d'un nouveau type : spontanée et improvisée. Une page d'histoire écrite au jour le jour, sans plan, sans préméditation, sans magouille, sans trucage. Un peu comme les poètes écrivent sous la dictée de la vie, et se rebellent pour des jours meilleurs.

La responsabilité des dirigeants européens est importante dans le maintien de ces régimes impopulaires et autoritaires. Deux raisons les ont toujours poussés à se taire et laisser faire. La première est qu'ils pensaient que Moubarak comme Ben Ali empêchaient l'arrivée d'une République islamique à l'iranienne. La seconde est que la perspective de contrats et d'affaires juteuses valait bien de mettre de côté le respect des droits de l'homme...

Dans les deux cas, les Européens se trompaient. La

révolution iranienne a été possible parce que le chiisme est structuré selon une hiérarchie bien établie (imam, mollah, ayatollah, etc.). Pour les chiites, l'islam est politique ou n'est pas (c'est ce qu'avait déclaré Khomeiny à son arrivée à Téhéran). La révolution iranienne fut donc longuement préparée, en réaction entre autres à la répression barbare qu'exerçait la Savak, la police politique du chah. Révolution structurée, administrée, avec sa logistique et ses plans. L'islam sunnite, en revanche, ne conçoit pas la pratique de la religion en termes de hiérarchie. Il suit le Coran qui dit qu'il n'y a pas de prêtrise en islam. Ni prêtre, ni rabbin, ni ayatollah. Sur le plan politique, les pays arabes sont donc traversés par plusieurs courants, l'islamisme n'est que l'un d'entre eux. En Égypte, par exemple, seul un coup d'État militaire permettrait aux islamistes d'arriver au pouvoir. Mais il faudrait alors que toute l'armée soit islamiste, ce qui est absurde.

Pour ce qui est du second point, les Occidentaux ferment les yeux partout où ils vont faire des affaires, que ce soit en Chine, en Libye ou en Algérie. Mais depuis que Barack Obama a évoqué le respect des droits de l'homme devant son visiteur chinois en janvier 2011, il n'est plus aussi facile de faire passer les affaires avant les droits de l'homme.

En pleine crise tunisienne, les médias français nous apprirent que plusieurs ministres français avaient accepté des invitations en Tunisie, en Égypte, et filaient le parfait copinage avec des dictateurs dont ils savaient tout, y compris la manière dont ils torturaient et faisaient disparaître des opposants. Quelle hypocrisie, quelle complaisance !

Ces révolutions auront au moins un avantage : plus rien ne sera comme avant, ni à l'intérieur de ces pays, ni à l'extérieur. Les gouvernements des autres pays arabes où existent les ingrédients pour que ça bouge et que ça se rebelle devront réformer leur système et être plus vigilants quant au respect des droits de la personne. Le citoyen ne sera plus un sujet soumis, à la disposition du pouvoir arbitraire et méprisant, il deviendra un individu qui a un nom, une voix, et tous ses droits.

Quant aux pays européens, il faut qu'ils s'attendent à ce que leur jeunesse délaissée, non reconnue, abandonnée dans des banlieues, frappée à plus de 45 % par le chômage, trouve dans le vent de liberté arabe un appel à se soulever, et cette fois-ci avec assez de volonté pour aboutir. Le mépris et le racisme finissent toujours par être contre-productifs.

Tunisie

L'hymne national tunisien se termine par ces quatre vers du poète Aboul Kacem Chabbi :

Lorsqu'un jour le peuple aspire à la vie
Le destin se doit de répondre
Les ténèbres de se dissiper
Et les chaînes de se briser.

Les manifestants chantaient cette strophe comme leurs grands-parents l'avaient récitée au moment de la lutte pour l'indépendance (1956).

Le régime de Ben Ali était comparable à une occupation coloniale, c'est-à-dire illégitime et féroce. Il a passé plus de vingt ans à mettre en place les réseaux et structures nécessaires pour que le pays soit à sa merci. Sous prétexte qu'il préservait le pays du péril islamiste, il s'est tout permis, et ce sous le regard bienveillant et encourageant des États européens.

C'est souvent durant les périodes de révolution et de résistance que les poètes sont visités par le souffle fort de la création. Après la Tunisie, qui est en train d'installer une nouvelle façon de vivre et de travailler, l'Égypte bouleverse toutes les données qui faisaient du monde arabe un bloc maudit, voué aux dictatures et à la régression. Certains écrivains ont passé leur vie à dénoncer cette malédiction. Les poètes sont toujours des visionnaires, ils pressentent ce qui doit absolument changer. Les dictateurs feraient bien de lire les poètes que, en général, ils méprisent. Car un jour finit toujours par arriver où la résistance populaire devient elle-même une sorte de poème — on l'a vu ces derniers mois dans les rues de Tunisie puis d'Égypte.

Aujourd'hui, on parle de la chute d'un immense mur de Berlin. En effet, plusieurs murs, plusieurs tabous, plusieurs blocages tombent en pièces en ce moment. Les poètes ont toujours eu raison avant tout le monde : le Russe Vladimir Maïakovski, le Turc Nazim Hikmet, le Palestinien Mahmoud Darwish, l'Irakien Chaker Assayab, l'Égyptien Ahmed Chawki, chacun à sa manière, ont élevé la voix au siècle dernier pour dire l'intolérable, le besoin vital de liberté et de justice. Et pourtant jamais aucun régime autoritaire n'a pris au sérieux ce que pouvait dire un poète ou un artiste sur la société.

Ce qui se passait dans les commissariats des pays arabes, tout le monde le savait; la presse internationale a souvent parlé de la répression dont étaient victimes les gens du peuple, les laissés-pour-compte, les oubliés, ceux qui subissent les injustices et ne peuvent s'exprimer ni se défendre. De nombreux journalistes ou des militants en exil ont écrit des livres qui dénonçaient ces dictatures, pourtant considérées comme « douces » par des dirigeants occidentaux trop bienveillants. Mais les voix dispersées ne font jamais tomber les dictatures, il a fallu que se succèdent d'innombrables incidents, accrochages avec la police, injustices criantes, actes intolérables pour que l'étincelle se produise enfin.

C'est ainsi qu'on vit dans les pays en voie de développement, c'est ainsi qu'on meurt dans les pays où la stabilité et la sécurité sont garanties aux yeux de l'Occident et au mépris du citoyen, de ses libertés, de ses droits.

Tout le monde a soutenu la prise du pouvoir par Ben Ali à la fin des années 1980. On parla même de « coup d'État médical ». Un beau matin du 7 novembre 1987, celui que Habib Bourguiba avait nommé ministre de l'Intérieur, puis Premier ministre, entre dans le palais et enlève un vieillard malade, lui fait quitter son lit et lui apprend qu'il n'est plus président. La veille, il avait réuni sept médecins au ministère de l'Intérieur et les avait obligés à signer un certificat attestant « l'incapacité de Bourguiba à gouverner ». On raconte qu'un des médecins, qui ne voulait pas signer parce qu'il n'avait plus revu Bourguiba depuis deux ans, s'entendit dire par Ben Ali : « Signe, tu n'as pas le choix. » Depuis quelque temps déjà, Ben Ali avait mis en place ses hommes de main dans les ministères. Il déposait un grand monsieur et prenait sa place sans honte, sans pudeur. Certes, Bourguiba aurait pu s'en aller tout seul, prendre la décision de quitter le pouvoir parce que son état de santé ne lui permettait plus de gouverner. Mais quand on a été au pouvoir, on agit comme si un virus vous avait contaminé. Seul Léopold Sédar Senghor, le président du Sénégal, a de lui-même abandonné ses fonctions pour se consacrer à l'écriture, à la poésie, à la lecture. Mais tous les chefs d'État ne sont pas des poètes, loin s'en faut !

Rappelons ici les audaces et la modernité de Bourguiba. C'est tout d'abord lui qui négocia avec la France l'indépendance de son pays. Tout de suite, il engagea la Tunisie dans le sillage d'une modernité rare à l'époque dans le monde arabe. Il changea le statut de la famille — la Tunisie a été le premier et longtemps l'unique pays musulman et arabe à reconnaître des droits à la femme : polygamie interdite, divorce autorisé et avortement légalisé (bien avant la France !). C'était révolutionnaire. Il fut le seul homme d'État à prôner personnellement la laïcité en public : un jour de ramadan (en mars 1964), il se présenta à la télévision et, en direct, but un verre de jus d'orange devant les téléspectateurs ébahis. Il justifia son geste en invoquant des raisons économiques. Il ne pouvait tolérer que l'économie du pays se mette en sommeil durant un mois entier parce que les travailleurs jeûnaient et n'avaient ni la force ni l'énergie de bien faire leur travail. Durant des décennies, les Tunisiens furent libres de jeûner ou de ne pas jeûner. Les cafés et restaurants étaient ouverts. Les gens consommaient en toute quiétude. Et ceux qui faisaient le ramadan par conviction religieuse, personne ne le leur reprochait, ni ne les inquiétait.

Le 3 mars 1965, Bourguiba fit à Jéricho un discours visionnaire mais que personne ne pouvait accepter à l'époque. Il conseilla aux Arabes de « normaliser leurs relations avec l'État d'Israël », disant que « la politique du tout ou rien n'avait mené les Palestiniens qu'à la défaite ». Il se mit à dos tous les chefs d'État arabes et surtout l'Égyptien Nasser, dont il critiquait le nationalisme fanatique. La foule des pays arabes descendit dans les rues pour protester contre la capitulation d'un « traître à la cause sacrée de la Palestine ». Cela ne dissuada pas Bourguiba de demander à l'ONU « la création d'une fédération entre les États arabes de la région et Israël ».

Deux ans plus tard, le 5 juin 1967, Israël déclencha une guerre éclair contre l'Égypte, la Syrie, la Jordanie et l'Irak. *Naqba*, la catastrophe, c'est le nom que l'on donne en arabe à cette défaite. Aujourd'hui, les Palestiniens rêveraient de retrouver leurs territoires d'avant juin 1967... mais jamais Israël ne leur accordera le moindre mètre carré.

Bourguiba était un homme laïc, éduqué, visionnaire. Son tempérament autoritaire a gâché son parcours. Il fut, en dépit de ses réformes, un président injuste, notamment à l'égard de ceux qui s'opposaient démocratiquement à sa politique. Mais était-ce une raison suffisante pour que Ben Ali, un militaire marié à une coiffeuse, le dépose comme une vieille carcasse qui attend la mort ?

Ben Ali n'a pas tout bouleversé au début de sa prise de pouvoir. Il a continué les réformes de Bourguiba, notamment dans le domaine de l'éducation. Il a appelé Mohamed Charfi, un militant des droits de l'homme, et lui a confié le ministère de l'Éducation nationale avec pour mission de nettoyer les manuels scolaires de l'idéologie islamiste et fanatique. Mohamed Charfi a fait avec une équipe d'une cinquantaine de professeurs un travail remarquable. Il a réécrit tous les manuels scolaires dans l'esprit des Lumières et de l'ouverture critique. Ben Ali encouragea son travail. Mais aussitôt sa mission terminée, Mohamed Charfi démissionna et reprit sa liberté.

La lutte contre les islamistes intégristes devint rapidement une des obsessions de Ben Ali et se transforma en chasse aux sorcières, avec arrestations arbitraires, tortures dans les locaux de la police, emprisonnements dans les pires conditions imaginables. Prétextant le danger islamiste, Ben Ali se mit à exercer le pouvoir de manière de plus en plus dictatoriale, répandant la peur dans le pays, interdisant la presse étrangère, pourchassant les opposants, même ceux qui n'avaient rien à voir avec l'islamisme. La croissance économique aidant et fort de la stabilité obtenue par la répression, Ben Ali apparut rapidement aux yeux des Occidentaux comme « un rempart contre l'islamisme » très rassurant. C'est ainsi que durant trois décennies, sans être le moins du monde contrarié, Ben Ali a pu soumettre son pays à une dictature où le citoyen tunisien n'avait strictement aucun droit. La Tunisie était devenue son affaire privée. Sa famille, au sens strict comme au sens large, en profita avec excès et sans vergogne. Un de ses frères, pris en France la main dans le sac d'un trafic de drogue, fut libéré par Paris et put rejoindre tranquillement les villas dorées de Tunis. Au même moment, des militants étaient arrêtés, et des jeunes diplômés traînaient dans les rues, sans travail,

quand ils n'allaient pas gonfler les rangs des candidats
à l'émigration clandestine.

La Tunisie et son président, qui se faisait élire tous
les cinq ans avec des scores frisant les 90 %, furent
toujours bien notés par les chancelleries occidentales.
Lors des visites officielles en Europe, M. Ben Ali était
applaudi, célébré, donné en exemple pour « la bonne
progression de la démocratie » dans son pays. On croit
rêver. Lorsqu'il a fui comme un voleur (car c'est un
voleur), les télévisions ont repassé les discours de
MM. Jacques Chirac, Nicolas Sarkozy, Dominique
Strauss-Kahn, Silvio Berlusconi, etc. C'était effarant
d'entendre ce que ces gens déclaraient devant Ben Ali,
et, par contraste, ce qu'ils balbutièrent au moment où
le voyou prenait la fuite. C'est ça, la « realpolitik ».

La Tunisie, grâce à son image de bonne élève, était
devenue petit à petit une destination touristique prisée.
L'économie et l'emploi en profitèrent. Le visiteur ne
voyait rien des aspects scandaleux du régime, à moins
d'être un journaliste averti ou un écrivain observateur.
J'ai pu en faire l'expérience en 2005, alors que j'étais
invité par le Centre culturel français de Tunis pour
parler à des étudiants et élèves de lycées. Très vite, je
remarquai que j'étais suivi en permanence par des
policiers en civil. Les étudiants me posaient des ques-
tions strictement littéraires, mais aussitôt la conférence achevée ils venaient me voir et me parlaient à

l'oreille. J'ai détesté ce voyage et cette atmosphère de plomb. Quant aux journalistes qui ont osé dénoncer ce système hyper policier, ils ont tout simplement été mis en prison. Le plus célèbre d'entre eux s'appelle Taoufik Ben Brik, qui passa entre 2009 et 2010 six mois enfermé après un procès totalement mensonger. Le régime ne supportait pas sa liberté de ton ni les critiques qu'il formulait à son encontre, en particulier sur la torture et les disparitions d'opposants.

L'attentat de la synagogue de Djerba (11 avril 2002, 21 morts) fit découvrir aux observateurs les plus vigilants que si Ben Ali avait su faire taire les islamistes de son pays, sa police n'avait pas réussi à empêcher al-Qaida de perpétrer des actes sanglants sur son territoire. Le kamikaze venait d'une famille émigrée en France et avait des connexions avec un Allemand converti à l'islam...

L'ÉTINCELLE

Je n'avais jamais entendu parler de la petite ville de Sidi Bouzid. Pourtant c'est de là que tout est parti. Un incident banal, fréquent, mais si récurrent qu'il a fini par déclencher l'irréparable.

Il était une fois un jeune homme de 28 ans, avec des diplômes mais sans travail, vivant avec sa mère et ses frères et sœurs. Pour gagner un peu d'argent, il s'était procuré un étal, une sorte de charrette sur laquelle on dispose des fruits et légumes de saison pour les vendre. Vendeur ambulant. On en voit un peu partout dans les villes du Maghreb. Souvent des voitures s'arrêtent devant, en double file, pour acheter à la dernière minute les fruits nécessaires au dessert du déjeuner. Ces vendeurs n'ont pas les moyens de s'installer dans une boutique. Ils sont de ce fait pauvres et vivent au jour le jour. Parfois leur étal gêne la circulation, mais tout le monde s'arrange. Et, si on « achète » la faveur du policier du coin, on peut être tranquille et vendre sa marchandise sans être inquiété. Parfois le même agent de police fait de l'excès de zèle afin de montrer à son chef qu'il est sévère, et il oblige le vendeur à aller se poster ailleurs. Or il y a des emplacements plus stratégiques que d'autres — ceux où il y a une grande circulation étant évidemment les meilleurs pour le commerce. Ceux-là, il faut les « payer ». Un ou deux billets glissés à l'agent sont indispensables. Entre la police et les marchands s'établit une relation de dominant à dominé, comme la petite mafia de quartier procède en Italie. Tu veux travailler ? Eh bien, il faut payer. Si le commerçant fait de la résistance, il verra son étal aussitôt renversé, ou confisqué pour « trouble sur la voie publique ».

Ce que gagne un vendeur ambulant n'est pas mirobolant. À peine de quoi nourrir sa petite famille. On n'a jamais vu un marchand de fruits et légumes ambulant faire fortune. Mohamed Bouazizi faisait partie de cette population qui trime quotidiennement pour essayer de vivre dignement. Il refusait la mendicité, les compromissions mafieuses, le vol et tout ce qui était illégal. Il voyait bien comment Ben Ali et sa grande famille, la sienne et celle de sa femme, profitaient sans vergogne du pays. Comme tous les citoyens tunisiens, il était au courant des frasques des gendres, frères, beaux-frères, cousins et amis de Ben Ali, cette clique qui ne se cachait pas pour engranger des millions. Tous les grands commerces, toutes les grandes entreprises, tous les investissements étrangers se devaient de passer par la « loi Ben Ali-Trabelsi ». Ce système était connu, on en parlait, puis on ajoutait : « On ferme les yeux, parce que la Tunisie en a fini avec les islamistes. » Les bons bourgeois de Tunis, La Marsa, Sidi Bou-Saïd, Hammamet se vantaient de vivre dans un pays « à la sécurité impeccable », « pas de cambriolages, pas d'attaques dans la rue, la police fait vraiment bien son travail ». Les gens qui collaboraient avec le régime vivaient dans un confort et un bien-être remarquables. Ils étaient reconnaissants à Ben Ali, cet ancien militaire qui avait su si bien faire fructifier les richesses de son pays. Les hommes politiques français et italiens citaient souvent la Tunisie comme un exemple dans le monde arabo-musulman. Le leader islamiste Rached Ghannouchi était réfugié à Londres.

On n'entendait plus parler de lui ni de son mouvement Ennahda. L'islamisme était enterré.

Mohamed Bouazizi doit interrompre ses études à la mort de son père, ouvrier agricole. Il a en charge toute la famille, soit sept personnes. Il achète une charrette et décide de vendre des fruits et légumes dans la rue. Mais il n'a pas d'autorisation. Il est persécuté par les agents municipaux. Il refuse la corruption. De toute façon, il n'en a pas les moyens. Les agents ne le lâchent pas. Dès qu'ils le voient, ils le chassent en le menaçant de lui confisquer sa charrette et sa balance. Ce matin du 17 décembre 2010, il tombe sur des agents particulièrement méchants qui lui confisquent son bien. L'un d'entre eux est une femme, elle le gifle, tandis que l'autre lui crache dessus. Suprême humiliation. Il essaie de récupérer son outil de travail, explique qu'il a sept personnes à nourrir, qu'il ne fait rien de mal... L'agressivité des agents redouble de férocité. La colère monte, Mohamed décide de s'adresser à la municipalité ; personne ne veut l'écouter. Il va au gouvernorat... À cette heure, tout le monde ignore encore que cette humiliation va être l'étincelle d'une révolte aux conséquences incommensurables...

On passe sa vie à avaler des couleuvres, à se raisonner, à accepter le destin, on se répète qu'un jour la lumière se lèvera, et que la vie n'est pas qu'une accu-

mulation de désastres. On garde l'espoir, on fait des
prières, on regarde ailleurs : la beauté des arbres, le
vol d'un oiseau, la visite d'un papillon, un sourire sur
le visage d'un enfant, une confiance soudaine dans
l'humanité, on se dit ça passera, ce n'est qu'un mau-
vais moment, Dieu est grand et il ouvrira des portes.
Mais ce jour-là, c'était contre un mur en béton armé
que la tête de Mohamed se cognait. Il ne voyait aucune
issue à son destin. Il ne trouvait aucun secours dans le
regard des passants. Pas une main tendue, pas une
parole d'encouragement, pas de justice. Mohamed est
le citoyen universel qui arrive au bout de sa patience.
Il aurait pu penser alors au personnage d'Ayoub — le
Job du Coran — et à la patience dont il a dû faire
preuve pour endurer tout ce que Dieu lui avait infligé.
Mais il n'y a pas pensé. Job est loin. Tout le monde
est loin. Il n'y a plus personne autour de lui. Il ne voit
même pas sa mère, ni sa sœur Leïla qu'il aime beaucoup. Il se sent isolé, abandonné. Dieu l'a abandonné.
Ça, il en est sûr. Il regarde le ciel en ce matin froid de
décembre. Personne ne lui fait le moindre signe. Solitude absolue doublée par le sentiment cruel d'une
injustice intolérable. La gifle, puis le crachat. On ne
fait pas ça, pas même à un chien. Son humanité a été
annulée, comme on efface un maquillage sur le visage.
Il n'a plus de face, plus de regard, plus d'amour
propre. Sa dignité a été écrabouillée, écrasée sous les
chaussures des agents municipaux. Il se dit : « C'est

fou combien les pauvres sont méchants avec d'autres pauvres, plus pauvres qu'eux encore. » Car ces agents, ce sont des minables, ils vivent grâce à la corruption ; ils sont serviles, accourent comme des esclaves quand le gouverneur les appelle pour qu'ils apportent un café, ou pour qu'ils aillent repeindre sa villa. Ils obéissent, ils se plient en quatre pour servir l'autorité. Ils baissent la tête et les yeux pour rendre service à ceux à qui ils doivent leur poste. C'est connu. Être redevable est une forme d'esclavage moderne. Alors ils font plus que leur travail. Ils prennent des initiatives, ils se considèrent comme des chefs, petits, mais chefs quand même. Ils donnent des ordres avec la même arrogance, la même violence qu'utilisent leurs supérieurs. Un vendeur ambulant est un pauvre idéal. On peut le mépriser puisqu'on le tient, on peut lui confisquer sa charrette, et s'il n'est pas content, qu'il crève. « Ah ! qu'il crève ! » Ce sont, paraît-il, les mots qu'aurait prononcés Ben Ali quand on lui apprit que le vendeur s'était immolé par le feu.

Mohamed Bouazizi a enduré quinze jours et quinze nuits de souffrance avant de crever, littéralement. Comme un chien, comme un « rien du tout », comme un fantôme, anonyme, comme un pauvre. Et être pauvre, en Tunisie, en Égypte, au Yémen et dans bien d'autres pays, c'est être destiné à crever comme un chien, soit parce qu'un agent municipal vous poussera au suicide, soit parce que, quand vous tomberez malade, vous ne trouverez pas de quoi vous soigner et vous crèverez, faute de médicaments, faute d'assistance.

Mohamed Bouazizi a décidé d'en finir. Mais comment en est-il venu à s'immoler par le feu? Cela n'appartient absolument pas à la tradition et la culture du Maghreb, ni à l'islam qui l'interdit. Celui qui décide de défier Dieu en allant volontairement à la mort certaine refera son geste à l'infini. Mohamed avait dû voir des images de bonzes s'immolant par le feu; ou bien il en avait entendu parler. Ce geste est spectaculaire, il est directement signifiant et sans ambiguïté. Le feu ne laisse rien. Il emporte tout. Il fait horriblement souffrir. Mohamed s'est immolé en public, devant le siège du gouvernorat, devant cette administration qui a refusé de l'écouter et de lui rendre justice. Il savait qu'il avait définitivement perdu son bien, que les agents n'allaient pas le lui rendre, que leurs supérieurs n'allaient pas prendre son parti et lui venir en aide. Il savait que, dans ce pays, le pauvre est condamné du simple fait qu'il est pauvre. Alors le désespoir doit aboutir à quelque chose qui peut-être impressionnera les autres, ceux qui ont été indifférents, ceux qui ont été injustes, ceux qui ne pouvaient pas faire autrement que passer leur chemin, car le sort d'un vendeur ambulant n'intéresse personne.

Se pendre chez lui? Ça n'aurait servi à rien... Se

couper les veines? Non plus... Se bourrer de somni-
fères? Encore faudrait-il pouvoir se les acheter, et puis
ce serait un suicide silencieux, les gens diraient : le
pauvre, il a eu une belle mort... mort dans son sommeil! Non, Mohamed voulait mourir et faire de sa
mort un acte utile pour les autres, utile pour les
pauvres, utile pour le pays. Peut-être qu'il n'a pas
pensé à tout le pays mais, en s'aspergeant d'essence et
en craquant une allumette, il a dû avoir le temps de
penser à sa mère, à ses frères et sœurs, peut-être à son
père, il a dû penser qu'il valait mieux rejoindre son
père plutôt que de vivre humilié, sans dignité, sans
argent, voué aux caprices de petits salauds dont le
venin est aussi terrible que celui des grands salauds.

Le feu a pris tout de suite. Il est resté immobile.
Quand des gens ont accouru pour le sauver, il était
trop tard, le feu avait été plus rapide qu'eux, le feu
avait terminé son travail. Mohamed respirait encore,
mais il respirait dans un corps cramé, un corps dont
l'âme sentait déjà le parfum du paradis, ou peut-être
les flammes de l'enfer. On le transporta à l'hôpital de
Sfax, puis au Centre des grands brûlés de Ben Arous,
près de Tunis. Le corps se craquelait. L'âme ne par-
venait pas à sortir, empêchée par la cendre, tenue pri-
sonnière dans un corps qui n'est plus un corps, juste
un témoin de ce que peut provoquer l'humiliation.

Sur son lit d'hôpital, il était entouré de bandages;
on espérait pour lui que par magie ils allaient soudain

se dérouler devant nos yeux et devant les caméras de télévision, et que petit à petit un corps frêle et tout neuf apparaîtrait à la place, comme sous l'impulsion d'un ange ou d'un dieu qui aurait eu pitié de ce pauvre homme qui venait d'offrir sa vie en sacrifice à quelque onze millions de citoyens.

Le 19 décembre, les habitants de Sidi Bouzid manifestèrent. Ce fut le début de ce qu'on a appelé ensuite « la révolution du Jasmin ».

Quelques jours plus tard, le 28, Ben Ali rendait visite à Mohamed Bouazizi cloué sur son lit d'hôpital. Images grotesques d'un président qui se montre paternel, avec l'air de maudire intérieurement ce salaud de pauvre dont le geste a déclenché les premières manifestations. Pourtant celui-ci, dont le corps est transformé en momie, n'en a plus pour longtemps. Il décède le 4 janvier. Dix jours plus tard, c'est le régime de Ben Ali qui rend l'âme, le président s'enfuit, mendie ici ou là un asile, puis finit par atterrir à Djeddah, terre d'islam qui ne peut refuser l'hospitalité à un musulman. Quant à sa femme et à sa famille, ils sont déjà loin.

Mohamed Bouazizi est ainsi devenu un héros à son corps défendant. Son sacrifice aura été utile. C'est sans doute ce qu'il espérait, mais ni lui ni personne ne pouvait prévoir ce qui est arrivé. Et ce qui s'est passé est tout simplement historique. Non seulement la Tunisie s'est soulevée dans le calme et la dignité (la violence a été le fait de la police, dont la brutalité a causé plusieurs dizaines de morts et des centaines de blessés), mais le peuple, soumis depuis vingt-trois ans à une dictature silencieuse, a réussi à se débarrasser de Ben Ali, de sa famille et de son clan affairiste et mafieux.

En 2009, Ben Ali a été reconduit dans ses fonctions avec un score ridicule et humiliant en même temps (quand on prétend que plus de 89 % des citoyens nous ont élu, on se moque du monde et dans la foulée on se méprise soi-même). Surtout lorsque, selon une source fiable, seuls 24,7 % des électeurs tunisiens se sont rendus aux urnes. La pétition, signée quelques mois plus tard par des gens importants aux yeux du régime, et appelant Ben Ali à se représenter en 2014, est tout aussi grotesque. On découvre à présent plus précisément l'étendue du mal que faisait Ben Ali. Selon le journal tunisien *La Presse* du 7 février 2011, on cachait au grand public les vrais chiffres du chômage, de l'émigration, de l'échec scolaire, etc. Toujours selon ce quotidien, le taux de chômage chez les diplômés de l'enseignement supérieur est de 44,9 % ; le taux de chômage chez les jeunes de 18 à 29 ans est de 29,8 % ; plus de 1,3 million de jeunes ont abandonné l'école entre 2004 et 2009. Enfin, 70 % des jeunes Tunisiens avouent désirer émigrer par tous les moyens.

Mais, au-delà de toutes les découvertes que l'on a faites et que l'on fera encore sur le régime de Ben Ali, la mort de Mohamed Bouazizi aura eu pour conséquence d'ériger la Tunisie en modèle pour le monde arabe. C'est à juste titre qu'on a parlé d'onde de choc, de contagion. L'Égypte, dans les semaines qui suivront, sera la première nation à prendre exemple sur la Tunisie, malgré un raïs bien plus puissant, féroce et tenace...

Égypte

SAYED BILAL

Alexandrie : il s'appelait Sayed Bilal, avait 30 ans, était marié, et sa femme était enceinte. C'était un musulman pratiquant, pas un militant ni un agitateur. Il travaillait et ne se faisait pas remarquer. Il habitait près de la gare Thahereyya. Le soir du 5 janvier 2011, la Sûreté nationale l'appelle : « Vous êtes convoqué au commissariat à 22 heures pour une affaire vous concernant ; apportez avec vous une couverture, vous pourriez en avoir besoin. » C'est le commissariat d'Al Raml District. Homme simple, pauvre, Sayed Bilal est un citoyen ordinaire. On n'est jamais content d'être convoqué par la police dans ces pays-là. Mais comme il n'a rien à se reprocher, il prend un taxi la conscience tranquille et se présente à l'heure dite. Personne ne l'accompagne. Il ne sait pas que sa dernière heure approche. Qui pourrait le savoir, d'ailleurs ? Sayed Bilal a un casier judiciaire vierge et n'a jamais eu affaire à la police de son pays. C'est d'ailleurs pour ça qu'il a été choisi, c'est un homme comme tout le monde.

L'interrogatoire commence par un contrôle d'identité tout ce qu'il y a de plus habituel. Sayed est calme. Il n'ose pas poser la question qui lui brûle les lèvres : pourquoi suis-je là ? Que me reprochez-vous ? Qu'allez-vous faire de moi ? Qu'ai-je fait de mal ?

Il ne dit rien, répond de son mieux et attend de voir la tournure que va prendre l'interrogatoire.

Tout à coup, on le change de salle. On le bouscule et on le descend à la cave. Lieu insonorisé, lieu de torture, lieu d'où rien ne filtre. La police a pensé à tout. Il ne faut pas déranger les voisins. Pas de bruit, pas de scandale, car il se trouve que certains citoyens crient quand on les frappe trop fort. Ils hurlent. Ça fait mal aux oreilles du tortionnaire et ça risque de fendre le liège collé sur les murs pour absorber le bruit.

Sayed n'est jamais descendu dans une de ces caves. Il en a entendu parler. Il sait que c'est là qu'on torture. Mais, lui, il n'a rien fait pour être maltraité. Sa conscience, tranquille il y a une heure, commence à vaciller. Il repasse dans sa tête les événements de ces derniers jours. Il se demande : « Peut-être ai-je rencontré quelqu'un que je n'aurais pas dû rencontrer ? Peut-être m'a-t-on vu avec un comploteur, un horrible terroriste qui cherche à déstabiliser le pays ? Non, je suis allé à l'école, j'ai fait mon travail, puis je suis rentré chez moi, ma femme avait besoin de moi, elle en est à son septième mois, je ne veux pas qu'elle se fatigue, mes parents viennent souvent chez nous pour nous aider. Je mets ma vie entre les mains de Dieu. Ah, c'est peut-être ça qui les énerve ! Dieu ! Ils doivent se méfier de ceux qui se réfèrent à sa grandeur. »

— Que faisais-tu samedi dernier vers minuit ?

— Je dormais chez moi.

Première gifle. On lui pose encore une fois la question. Puis on lui affirme qu'il a été vu aux alentours de l'église des Deux-Saints, là où, la nuit du 31 décembre, un homme s'est fait exploser, causant la mort de 23 personnes et faisant 90 blessés.

Bien sûr qu'il a entendu parler de cette tragédie. Il répond que lui, « en tant que musulman », il ne tue pas les êtres humains.

À partir de là commence vraiment la séance de torture. Il faut arracher des aveux, même s'ils ne sont pas vrais, tels sont les ordres. La police veut un coupable. Si la torture ne suffit pas, le coupable, on l'inventera de toutes pièces. C'est ce qui va se passer pour Sayed Bilal. Il reconnaît qu'il est salafiste, observant strict de la religion. Être salafiste ne veut pas dire être terroriste, d'autant plus que les salafistes appliquent à la lettre les ordres divins et nulle part dans le Coran il n'est dit qu'il faut poser des bombes dans une église durant une messe. Mais la police ne veut rien entendre. Il doit avouer. Sayed étant un musulman très attaché à sa foi, il les laisse le martyriser et s'en remet à Dieu. Si Dieu

veut le rappeler à lui à travers cette épreuve, si telle est
la volonté d'Allah, alors qu'y faire? Il n'avoue rien,
puisqu'il n'a rien fait et n'a donc rien à avouer. Les
agents tortionnaires s'acharnent sur lui, lui font subir
des tortures de plus en plus dures; ils ont appris cela à
l'école de la police, les plus anciens ont même fait des
stages en Allemagne de l'Est. La torture nécessite un
vrai savoir-faire. La police égyptienne s'est souvent illus-
trée dans ce domaine, et ce depuis l'époque de Nasser.

Sayed est le coupable idéal de l'attentat du
31 décembre. Il est innocent, mais ça leur est égal. Le
ministère de l'Intérieur veut avoir vite des résultats,
veut pouvoir, dès demain, exhiber à la presse la tête
du terroriste. Le chef de la police d'Al Raml presse ses
tortionnaires. En vain, malgré toutes les souffrances
subies, malgré la sophistication des techniques de torture, Sayed Bilal n'a rien avoué, pour la bonne raison
qu'il n'avait rien à avouer. Il meurt d'un arrêt car-
diaque, le corps criblé de bleus, d'hématomes, de
traces de coups et blessures. La nuit a été longue pour
tout le monde. Pour le malheureux Sayed Bilal, pour
les tortionnaires qui étaient fatigués de torturer et
voulaient rentrer chez eux retrouver leur femme et
leurs enfants. Longue pour le chef du district qui ne
pouvait pas annoncer la bonne nouvelle à sa hiérarchie.
Longue pour le ministre qui devait rendre des comptes
le lendemain à son gouvernement et avouer que le
suspect était mort sous la torture.

Le soir du jeudi 6 janvier, le corps est déposé devant l'hôpital de la ville. La police veille. Un des infirmiers remarque sa présence, le fait déposer à l'intérieur. Il trouve sur lui des papiers d'identité et appelle la famille. Entre-temps, la police a arrêté Ibrahim, le frère de Sayed Bilal. Elle veut l'empêcher de parler. Les parents arrivent, reconnaissent le corps, prennent des photos des traces de torture et, tout en se lamentant, décident de porter plainte. Mais la police intervient immédiatement et leur fait comprendre qu'elle tient entre ses mains Ibrahim et que, s'ils ne sont pas raisonnables, il connaîtra le même sort que son frère.

Il ne leur reste que les larmes et la prière. La police leur donne l'ordre d'enterrer leur fils la nuit même, il faut éviter le vendredi, jour de la grande prière. Les parents essaient de négocier. Rien à faire, Ibrahim ne sera pas relâché tant qu'ils n'auront pas obtempéré. Ils savent qu'ils n'hésiteront pas à le tuer. Sayed Bilal est finalement enterré peu avant minuit.

Ainsi se comporte la police de Hosni Moubarak.

AYMAN NOUR

Autre exemple : Ayman Nour, né à Mansoura le 5 décembre 1964, député et avocat, militant pour les droits de l'homme et fondateur en 2004 d'un parti, « al-Ghad » (demain). Démocrate libéral, il réclame la réforme de la Constitution qui limiterait les pouvoirs du président Moubarak et ouvrirait l'élection présidentielle à plusieurs candidats.

Oser se présenter contre Moubarak! Quel scandale! C'est un acte de lèse-président insupportable pour celui qui se prend pour le pharaon de l'Égypte. Ce président, arrivé au pouvoir accidentellement, ne supporte pas la moindre opposition et encore moins ceux qui prennent le grand risque de lui disputer sa place. Que fait donc la police?

D'abord on retire à Ayman Nour l'immunité parlementaire. Pour quels motifs? C'est simple, quand on n'a pas de faits, on les invente. Il est accusé d'avoir falsifié les procurations pour assurer la formation du parti al-Ghad. Ensuite, on lui retire l'autorisation d'exercer son métier d'avocat. Puis on lui crée des problèmes partout où il se présente. Sa vie devient un enfer. Plus de travail, plus de députation. Certains amis l'évitent. L'homme est réduit à rien. Le 24 décembre 2005, il est arrêté et condamné à cinq ans de prison. Il est diabétique et dépendant de l'insuline. Il fait une grève de la faim. La presse nationale et internationale commence à évoquer son cas. Même George W. Bush le qualifie de dissident (juin 2006). Le 18 février 2009, il est libéré pour raisons de santé.

Le 28 janvier 2011, il manifeste au côté d'un million d'Égyptiens. Il reçoit une grosse pierre à la tête qui le blesse gravement...

KIFAYA

Le mot *kifaya* veut dire en arabe : « ça suffit », « stop », « basta », « il y en a marre », « on n'en peut plus », « ras le bol », « ça ne peut plus durer »…

C'est le nom que s'est choisi non pas un parti propremente dit, mais un mouvement, une association de la société civile créée en juillet 2004 au Caire. Mouvement laïc, démocrate et pour le respect des droits de la personne. Le 12 décembre 2004, il commence par organiser une grande manifestation, appelant à une réforme démocratique du système politique. Il encourage le boycott de l'élection du 7 septembre 2005. Une façon de se situer dans la mascarade politique où le parti du président Moubarak occupe 90 % des 454 sièges de députés à l'Assemblée. En outre, seuls quatre partis sont autorisés. Le PND (le Parti national démocratique) de Moubarak a la main sur tout. Les trois autres font de la figuration.

Les slogans de Kifaya sont : « Assez de l'armée ! », « Assez avec l'autoritarisme ! », « Assez avec l'exploitation ! », « Assez avec les cinq mandats ! », « Assez du népotisme ! » « Assez de la censure ! », « Assez avec la corruption ! », « Assez avec la torture ! ».

Une grande manifestation est de nouveau organisée autour de ces thèmes le 12 décembre 2006 dans quinze villes du pays.

Kifaya lutte par ailleurs contre la politique israélienne d'occupation des territoires, et d'agressions meurtrières contre les Palestiniens à Gaza ou ailleurs. Il accuse Israël d'être un État raciste et reproche vivement à Moubarak de rester silencieux quand l'armée israélienne massacre des Palestiniens. Il reproche aussi à Moubarak de ne pas s'être opposé à l'invasion américaine de l'Irak en 2003.

En 2005, Moubarak déclare publiquement à propos de Kifaya : « Ça commence toujours comme ça, ça vient de petits jeunes occidentalisés, ils s'agitent, ils installent la *fawda* [le désordre et la panique], mais ils sont incapables de prendre le pouvoir et ils sont instrumentalisés par les Frères musulmans qui ramassent la mise. »

Le 4 mai 2010, deux des leaders de ce mouvement, Abdul Aziz al-Husseini et Abdel Halim Qandil, organisent une conférence de presse où ils réclament la fin du régime de Moubarak et appellent à la désobéissance civile.

Huit mois après, ils sont entendus et Moubarak quitte le pouvoir.

ISRAA ABDEL FATTAH

Les événements de janvier et février 2011 ont été préparés par une opposition qui travaille depuis des décennies. C'est donc tout sauf un hasard si des millions d'Égyptiens sont sortis dans les rues et ont vomi ce régime et celui qui le symbolise avec arrogance et cruauté.

Israa Abdel Fattah est une figure marquante de ce mouvement à laquelle il faut rendre un hommage particulier. Âgée de 28 ans, Israa Abdel Fattah est une militante des droits civiques et surtout elle sait mieux que personne utiliser Internet et Facebook. En 2008, elle a cofondé le mouvement d'opposition du 6 avril et travaille à l'Académie égyptienne pour la démocratie, une organisation non gouvernementale financée par la fondation allemande Friedrich Naumann.

C'est Israa Abdel Fattah qui a appelé à travers Facebook des millions d'Égyptiens à descendre dans les rues pour faire partir Moubarak. Elle s'est aussitôt retrouvée en prison et y est restée quinze jours pour des motifs imaginaires. Mais aujourd'hui, libre, elle est devenue une icône pour toute une génération.

300 MORTS EN TROIS SEMAINES

En trois semaines, des observateurs des Nations unies ont dénombré 300 morts en Égypte. Beaucoup ont été fauchés au début de la révolte, lorsque la police tirait à balles réelles. Ensuite ce sont des militants du parti de Moubarak qui se sont attaqués aux manifestants pacifiques et qui ont fait à leur tour de nombreuses victimes. Voici les noms de cinq d'entre eux, choisis parmi ces centaines de personnes mortes au service d'une révolution spontanée et sans aucun leader :

— Ahmad Bassiouni, 31 ans, professeur d'art contemporain, père de deux enfants. Le matin du 28 janvier, il écrit ceci sur sa page Facebook : « Je m'en vais récupérer un peu de la dignité de mon pays. » À l'heure de la sortie de la mosquée, la police charge, une jeep de l'armée fonce dans la foule et écrase les gens, parmi lesquels Ahmad.

— Ahmad Anouar, 19 ans, ingénieur, originaire de Tanta, ville du delta du Nil, fils unique. Mort d'une balle en plein cœur.

— Karim Banouna, 29 ans, ingénieur, mort d'une balle dans la tête.

— Islam Abdel Kader, 22 ans, étudiant, mort d'une balle dans la tête.

— Sali Zahran, 25 ans, tuée d'un coup de barre de fer sur la tête.

Un jour, il faudra publier en entier la longue liste des personnes mortes durant ces jours et ces nuits qui ont changé à jamais le visage et l'histoire du plus grand pays arabe.

LE RÔLE DES FRÈRES MUSULMANS

Le mouvement des Frères musulmans est né en Égypte en 1928 après l'effondrement de l'Empire ottoman ; il se veut, à l'origine, non violent. Son idéologie peut se résumer en deux points : renaissance de l'islam, lutte contre le colonialisme et l'influence occidentale (laquelle aurait introduit la laïcité dans les pays arabes) ; autant de valeurs qu'il partage avec le wahhabisme saoudien. Mais, très vite, les Frères musulmans se transforment en mouvance d'opposition politique au socialisme populaire que Nasser veut instaurer dans le pays. En 1949, l'un des fondateurs des Frères musulmans est assassiné. En 1957, Nasser interdit le mouvement. Il arrête, juge et fait exécuter en 1966 Sayed Qutb, l'un des penseurs de cette mouvance, un homme de culture qui avait voyagé et séjourné en France et aux États-Unis. Dès lors, les Frères musulmans ne cesseront de se développer et d'essaimer dans la plupart des pays arabes.

En 1982, Hafez al-Assad décide de se débarrasser définitivement des Frères musulmans en Syrie. Ayant appris qu'ils se réunissaient pour leur congrès dans la petite ville de Hama, il les laisse se rassembler puis donne l'ordre à l'armée de fermer la ville et de la raser en faisant tirer les chars. Un massacre chiffré à 20 000 morts. Personne ne réagit.

Par ailleurs, même si la doctrine officielle des Frères musulmans est, comme je l'ai dit, la non-violence, on sait aujourd'hui que le numéro deux d'al-Qaida, Ayman al-Zawahiri, en a fait partie avant de s'exiler et de devenir un des chefs du terrorisme international.

Sur le plan politique, les Frères musulmans n'ont jamais été reconnus par le régime égyptien en tant que parti, mais simplement tolérés. Sans porter le nom de Frères musulmans, 88 des 454 députés du Parlement égyptien appartiennent à cette mouvance.

Le 6 février 2011, le vice-président égyptien, Omar Souleimane, nommé lors des manifestations réclamant le départ de Moubarak, a reçu une délégation des Frères musulmans et a négocié officiellement avec eux l'avenir du pays. C'est historique.

Constituent-ils un danger pour la République égyptienne et pour la région? D'après un sondage, dans des élections libres et transparentes, ils obtiendraient 20 % environ des sièges au Parlement. Même si les Frères musulmans rêvent d'une République islamique, le peuple égyptien, lui, ne partage pas, dans sa majorité, ce même rêve. Ce que réclament les millions de manifestants (les Frères musulmans n'ont pas initié, ni dirigé ces manifestations), c'est la fin du régime autoritaire et corrompu de Moubarak, c'est la liberté, la démocratie réelle et la fin de l'exploitation et des humiliations. Aucun slogan des manifestants n'a évoqué une quelconque République islamique à l'iranienne.

Les Frères musulmans font partie du paysage politique égyptien. On ne peut ni les ignorer, ni leur donner trop d'importance. Ils luttent pour une hygiène morale et éthique du pays. Ils luttent pour la justice et le respect des droits de la personne. Leurs luttes rejoignent celles des manifestants laïcs. De là à ce qu'ils arrivent au pouvoir et instaurent une République islamique, il y a une grande marge et beaucoup d'incertitudes.

Le sociologue suisse Patrick Haenni, chercheur à l'institut Religioscope, spécialiste du monde musulman, affirme dans un entretien paru dans *Libération* le 8 février 2011 : « L'organisation des Frères musulmans contrôle de moins en moins bien la dynamique de réislamisation de la société égyptienne. » Ils seraient dépassés par ce qu'il appelle un « islamisme light » qui « n'est obsédé ni par la charia ni par un État islamique ». À la question « Quel serait leur score dans des élections libres ? », voici ce qu'il répond : « Des chercheurs avancent des chiffres estimant qu'ils représenteraient 25 % à 30 % de l'opinion. Ce type d'évaluation me laisse sceptique, car elle ne tient pas compte de la dynamique inédite qui se créerait dans une scène égyptienne post-autoritaire. Les Frères musulmans changeront et se diviseront. Je crois que la grande leçon de ces deux révolutions, celle de Tunisie et maintenant celle d'Égypte, est l'irruption de nouveaux acteurs avec de nouvelles manières de faire de la politique qui prennent à contre-pied toutes les formations traditionnelles, islamistes ou non. »

Les Frères musulmans existent, sont bien organisés, mais ne couvrent pas toute la société et surtout sont dépassés par les jeunes qui font passer leur message de colère et de révolte par les moyens modernes que permet l'Internet. Ensuite, si ces derniers réclament le départ de Moubarak et la fin de son régime, ce n'est pas pour le remplacer par un autre régime autoritaire et fanatique comme celui qu'on peut prêter aux islamistes. Les deux révolutions ont eu pour objectif la libération, la liberté, le respect de la personne, de ses droits, de ses opinions, bref, elles ont visé l'émergence de l'individu, ce qui a été jusqu'à présent empêché par tous les régimes du monde arabe.

Un autre observateur, égyptien celui-ci, Khalil Enani, professeur à l'université de Durham au Royaume-Uni, dit : « Ceux qui bougent, la jeunesse branchée sur Internet, ont tourné la page de l'islamisme. Tout comme le régime, les Frères vont être affectés par cette révolution. Pour l'instant, ils ont prospéré grâce à la persécution du régime. S'ils ne sont plus des martyrs, ils seront moins attractifs » (*Libération* du 8 février 2011).

Le logiciel islamique a donc été complètement dépassé. Une nouvelle jeunesse est née, au diapason avec les jeunes du monde entier et à laquelle les vieilles rengaines religieuses ne parlent plus. Une nouvelle génération d'Égyptiens ayant vécu à l'étranger (fils d'émigrés en Europe, en Amérique, en Australie) est revenue dans le pays d'origine de ses parents et entend bien construire une Égypte débarrassée de l'islamisme rétrograde et fanatique.

FORTUNE

Selon le quotidien britannique *The Guardian* (6 février 2011), des experts économiques (notamment Christopher Davidson, professeur de sciences politiques, spécialiste du Moyen-Orient à l'université de Durham) ont estimé la fortune de Hosni Moubarak à 70 milliards de dollars. Cette fortune serait placée dans des banques suisses et britanniques et serait constituée en outre de biens immobiliers à Londres, New York et Los Angeles. La fortune de ses deux fils s'élèverait à 8 et 17 milliards de dollars.

Cela se passe de commentaire.

NOUKTA

Le mot *noukta* veut dire « blague » et les Égyptiens sont bien connus pour leur sens de l'humour. Voici la dernière blague qu'on raconte en Égypte : Moubarak meurt et arrive en enfer. Il est reçu par les deux anciens présidents d'Égypte, Anouar el-Sadate et Gamal Abdel Nasser. Ils lui demandent : « Tué par balle ou par empoisonnement ? » Moubarak répond : « Tué par Facebook ! »

Algérie

De tous les pays dont les régimes sont ébranlés par les révoltes en Tunisie et en Égypte, l'Algérie est celui dont le pouvoir résistera certainement le plus et qui n'hésitera pas à faire couler le sang des manifestants. C'est un régime militaire qui tient le pays depuis l'indépendance (1962). L'armée a toujours été aux commandes, que ce soit sous le colonel Houari Boumediene, arrivé au pouvoir en 1965 par un coup d'État militaire, sous le régime de Chadli Bendjedid, ou actuellement sous la présidence d'Abdelaziz Bouteflika, qui est certes un civil, ancien ministre des Affaires étrangères de Boumediene, mais qui est tenu par l'armée qu'il suit aveuglément. Le seul civil qui ait jamais refusé de se plier aux volontés de l'armée fut Mohamed Boudiaf. Il n'est resté président de la République que six mois, assassiné en juin 1992 en plein meeting.

L'Algérie, c'est donc l'armée. C'est l'unique autorité du pays. En dehors d'elle, rien n'est possible. Elle détient tous les pouvoirs et agit dans l'ombre, laissant le civil Bouteflika régner en façade. Malade et affaibli dans sa crédibilité politique, celui-ci ne représente plus l'État comme certains l'avaient espéré après son retour d'un long séjour en Suisse.

Cela fait maintenant près de vingt ans que l'état d'urgence a été décrété, donnant tout pouvoir à l'armée pour maintenir l'ordre. Il a été levé tout récemment, à la mi-février, signe d'apaisement de la part de l'armée.

Pourtant, le samedi 12 février 2011, l'armée a mobilisé encore 30 000 policiers pour empêcher 2 000 Algériens de manifester. Elle a procédé à des centaines d'arrestations, dont celles de quatre députés, et a fait des dizaines de blessés lors d'affrontements violents.

Entre le 6 et le 9 janvier 2011, un mois plus tôt, la répression des manifestations contre la vie chère — appelées par la Coordination nationale pour le changement et la démocratie, mouvement regroupant des syndicats autonomes, des partis d'opposition et de la société civile — a fait cinq morts et 800 blessés.

Pendant la même période on a dénombré dans le pays pas moins de 25 tentatives d'immolation par le feu. Des citoyens qui pour la plupart n'en pouvaient plus de vivre dans un pays dont les richesses immenses sont confisquées par un groupe de généraux, faisant d'un pays riche une nation dont la population est pauvre. On connaît les noms et parfois l'histoire de certains d'entre eux publiés sur des sites web :

— 13 janvier 2011 : Mohcen Bouterfif, 37 ans, chômeur, père d'une petite fille, s'immole par le feu devant la mairie de la ville minière de Boukhadra, à l'est de Tebessa.

— 14 janvier 2011 : Samir H., 26 ans, tente de s'immoler par le feu à Jijel, à l'est d'Alger.

— Peu de temps après, Mohamed Aouicha, 41 ans, vivant à Bordj Menaiel, à l'est d'Alger, tente de s'immoler devant le siège de la sous-préfecture. Il est sauvé de justesse par un ami. Lors des inondations de 2001, il avait perdu son logement. En 2003, le séisme acheva de détruire ce qu'il en avait sauvé et rafistolé. Depuis, il attendait en vain que l'État le reloge. Début janvier, il apprenait que son dossier n'avait pas été retenu...

— Dans la nuit du 16 au 17 janvier 2011, vingt émigrants clandestins pour l'Espagne sont repérés par la marine nationale au large d'Annaba ; ils choisissent de mettre le feu à l'embarcation ; certains sont brûlés, d'autres disparaissent. Un survivant déclare : « Même la mort ne veut pas de moi. »

— 18 janvier 2011 : Karim Bendim s'immole par le feu devant la mairie de Dellys, à 70 kilomètres à l'est d'Alger.

Tous ceux qui se sont tués par le feu l'ont fait devant le siège d'une préfecture, d'une mairie, d'un ministère. La protestation est claire : je me sacrifie en accusant le pouvoir de m'avoir acculé à ce geste qui n'appartient même pas à ma religion et à ma culture.

Interpellant le pouvoir, qui reste inébranlable, le parti Rassemblement pour la culture et la démocratie a déclaré : « Après avoir aspiré la ressource nationale, le système en place ne laisse aux jeunes que le choix de mourir par l'exécution ou le suicide. La question n'est plus de savoir si le système doit changer mais de trouver les voies et les moyens les plus adaptés pour épargner à la patrie d'autres malheurs et le chaos. » (Propos rapportés par Adlène Meddi, lesinrocks.com, 28 janvier 2011.)

Le cas de l'Algérie est complexe : les séquelles de la guerre de libération sont encore là ; les relations avec la France sont compliquées et ne sont pas apaisées ; une très forte population émigrée en France est confrontée à des problèmes d'identité à travers leurs enfants nés sur le sol français. Ses relations avec le Maroc, son voisin, sont également très mauvaises. L'affaire du Sahara occidental dure depuis plus de trente-cinq ans. L'Algérie soutient le mouvement indépendantiste Front Polisario et refuse tout arrangement à l'amiable, fermant ses frontières aux Marocains, alors que le Maroc, lui, a décidé d'ouvrir les siennes.

Les peuples algérien et marocain, cependant, n'entretiennent pas entre eux la même haine que l'armée algérienne à l'égard du Maroc (qui oublie que le Maroc fut longtemps à ses côtés et sa principale base arrière durant la guerre de libération). Au contraire, ils ne demandent pas mieux qu'une réconciliation, car ce qui les intéresse, eux, c'est de pouvoir circuler librement.

La révolte algérienne sera longue et dure. Si Moubarak et Ben Ali ont capitulé, c'est parce que l'armée les y a obligés ; en Algérie, c'est l'armée qui est contestée, et elle ne cédera pas, du moins pas aussi facilement qu'en Égypte ou en Tunisie. Il faudra qu'il se trouve à l'intérieur de cette armée des officiers pour rallier les protestations populaires, ce qui risque probablement de déclencher une guerre civile, comme cela s'est passé après 1991. Une guerre civile qui s'est soldée par plus de 100 000 morts...

Yémen

La première chose qui saute aux yeux quand on arrive à Sanaa, la capitale du Yémen, c'est qu'on est dans un espace et un temps qui n'ont rien à voir avec ceux du monde occidental. Nous sommes en Orient, loin, très loin de nos catégories mentales et psychologiques. Je me souviens d'avoir été sous le choc durant tout mon voyage dans ce pays. Pas un instant je ne me suis senti vraiment à l'aise, ne serait-ce que parce que toute la population est armée, soit d'un fusil, soit d'un poignard traditionnel porté à la ceinture (même les adolescents sont armés). On comprend qu'Arthur Rimbaud ait trouvé là le dépaysement absolu et idéal pour échapper à la morosité française et se lancer dans le trafic d'armes et autres aventures...

Un jour, le prophète Mahomet revient sur terre pour voir ce qu'est devenu le monde musulman au XXIe siècle. L'Arabie saoudite, qui est la gardienne des lieux saints de l'islam et la voisine immédiate du Yémen, lui propose de lui montrer la terre vue d'avion.

Mais Mahomet, quand il survole les pays du Golfe, a beau regarder et regarder encore à travers le hublot, il ne reconnaît rien du tout, jusqu'à ce qu'il aperçoive enfin le Yémen, qu'il identifie sans difficulté — c'est le seul pays à être resté tel qu'il l'a laissé à sa mort, au VIIe siècle... Rien n'y a bougé, tout est intact. Cette blague, qu'on raconte parfois pour faire rire le touriste, résume assez bien ce pays figé comme aucun autre dans le passé.

On m'avait prévenu, le Yémen vit au quotidien à un autre rythme que le reste du monde. Il faut le voir pour le croire. Tous les jours, juste avant midi, les hommes se précipitent au marché pour acheter leur dose de qat, une herbe verte ressemblant à de la menthe, une véritable « drogue » qu'ils mâchent jusqu'à la nuit. Presque rien ne se passe l'après-midi.

Mais sous cette apparence de pays complètement déconnecté de la modernité et immobile, le Yémen est un pays bouillonnant, en crise permanente. Plusieurs guerres civiles ont éclaté entre le Yémen du Nord fortement islamisé (sunnite) et le Yémen du Sud peuplé de juifs et de chrétiens. L'unification officielle, le 22 mai 1990, n'a pas enrayé ces explosions de violence. al-Qaida, d'ailleurs, s'est bien implanté dans le Nord.

Mais le Yémen ne se contente pas de ses graves problèmes intérieurs. En 1962, l'intervention inutile et stupide de Gamal Abdel Nasser dans la guerre que se livrent les deux Yémens sème un peu plus le chaos. Mais le raïs égyptien avait des prétentions territoriales sur son voisin, et cette guerre, dont plus personne ne se rappelle les raisons aujourd'hui, s'est soldée par des milliers de morts.

Avec l'Arabie saoudite, les Yéménites entretiennent également des relations tendues. Ils fournissent en effet la plupart de la main-d'œuvre immigrée chargée des travaux pénibles. Les Saoudiens de souche ne se salissent pas les mains...

Jusqu'à l'année dernière, le président Ali Abdullah Saleh, dont les manifestants réclament aujourd'hui le départ, et qui est au pouvoir depuis trente-deux ans (si on compte les années où il a été président du Yémen du Nord), trouvait sa longévité tout à fait normale. Comme la plupart des chefs d'État de la région, il s'est accroché au pouvoir de manière névrotique. Le 2 février 2011, imitant en cela son ami Moubarak, et comme pour calmer les manifestants, il déclarait qu'il ne se représenterait pas à la prochaine élection... Personne ne l'a cru... La jeunesse du pays, bien que très pauvre, a bien compris qu'il mentait. Elle a accès comme en Tunisie ou en Égypte à l'information, via Internet, et sait que Saleh ne répondra jamais à leur demande de liberté et de dignité. Les concessions du président ne suffisent pas, elles ne calment pas l'opposition.

Comme tous les dictateurs dont la légitimité est fortement contestée, Ali Abdullah Saleh n'a pas hésité à faire tirer sur les manifestants à balles réelles. Le 18 mars 2011, les tueurs d'un escadron de la mort et des mercenaires au service du dictateur ont fait un massacre : 51 morts et plusieurs centaines de blessés Aussitôt après, alors qu'il était le principal responsable des violences, Ali Abdullah Saleh a déclaré l'état d'urgence et minimisé la gravité de ce qui s'était passé.

Le même jour, des manifestations avaient lieu dans quatre villes syriennes, chose absolument inédite dans ce pays tenu depuis toujours par une police omniprésente et cruelle. Résultat : quatre morts et des dizaines de blessés. En Syrie, Bachar al-Assad, lui non plus, n'hésitera pas à donner l'ordre de tirer sur la foule. Il a fait appel à l'armée qui a tué des centaines de manifestants.

Depuis plus d'un demi-siècle, le monde arabe dans son ensemble a été voué aux dictatures, au parti unique, à la répression de toute volonté de liberté. La liste est longue des chefs d'État arrivés au pouvoir par la force des armes ou de façon héréditaire, comme c'est le cas en Syrie, et avec l'aide de services de police formés par l'Union soviétique. Cette malédiction a trop duré. Il est vraiment temps que ces dictateurs soient chassés du pouvoir, arrêtés et jugés.

Maroc

Lorsque la révolution tunisienne a réussi à faire fuir Ben Ali et que des Algériens ont commencé à manifester, la presse et l'opinion internationales ont tourné leur regard vers le Maroc, évoquant une possible contagion. Si le Maroc était encore sous la coupe de Hassan II, si les « années de plomb » étaient encore d'actualité, sans hésitation, le peuple marocain aurait fait sa révolution. Mais le Maroc n'en est plus là. Avec Mohamed VI, les réformes ont commencé peu après son accession au trône en juillet 1999. Essayons d'en faire un rapide tour d'horizon.

Une des premières décisions de Mohamed VI fut d'ouvrir les dossiers de la répression qui a sévi durant le règne de son père et de constituer une commission pour écouter les doléances des victimes des arrestations, des tortures, etc. Vingt-neuf mille dossiers ont été examinés publiquement par cette commission, et de nombreuses victimes ont été indemnisées par l'État.

« Plus jamais ça ! » Tel était le message du roi. Depuis, il n'y a plus de torture dans les commissariats, plus d'arrestations arbitraires, plus de prisonniers politiques. Des policiers un peu trop zélés commettent évidemment encore des bavures. Les rapports d'Amnesty International et de Human Rights Watch, ainsi que ceux de la Ligue marocaine des droits de l'homme, indépendante du pouvoir, permettent d'en avoir la confirmation. Seule la lutte contre le terrorisme reste très radicale dans ses méthodes.

La presse a retrouvé une certaine liberté, je dis « une certaine » parce qu'il existe des sujets tabous : la vie privée du roi et de sa famille, l'islam, et tout ce qui touche à l'intégrité territoriale du pays, notamment du Sahara. Pour le reste, les journalistes écrivent ce qu'ils désirent écrire et quand il y a diffamation, la justice intervient. Tout n'est pas rose pour autant. Des journaux ont dû cesser de paraître (*Le Journal* et *Nichane*), à force de harcèlement de la part des autorités qui n'arrivent pas à oublier l'époque de la censure ; d'autres ont été condamnés à des amendes très lourdes. La liberté d'expression progresse, même si elle reste encore surveillée.

La condition de la femme a été améliorée avec le nouveau Code du statut personnel (la Moudawana).

Des infrastructures essentielles ont été mises en place : autoroutes, ports, habitat social, etc.

Mais le Maroc doit encore faire face à des problèmes majeurs.

Le chômage des jeunes (notamment les diplômés) est élevé et très inquiétant.

La pauvreté est réelle et touche une grande partie du peuple marocain. Par ailleurs, une minorité s'enrichit et crée un fossé immense entre elle et le reste des Marocains. Des personnes de l'entourage très proche du monarque exploitent leur situation pour faire des affaires de plus en plus florissantes. La presse ne cesse de les dénoncer ; cela ne les décourage pas et elles poursuivent leur affairisme avec arrogance. Le roi ne se prononce pas là-dessus. Cela choque beaucoup le peuple, d'autant plus que la presse arabophone, la plus lue, en fait ses choux gras. Trop d'inégalités et d'injustices perdurent.

L'analphabétisme est un fléau. Il touche presque 40 % des Marocains, notamment dans les campagnes.

Enfin, la corruption gangrène le pays. Le roi a bien installé une commission de lutte contre la corruption, mais le travail de cette dernière est difficile car le propre de la corruption est qu'elle ne laisse pas de traces, donc pas de preuves, ce qui complique grandement le fonctionnement de la justice et de l'administration.

En ce qui concerne la vie politique, des habitudes démocratiques se sont peu à peu installées et de nombreux partis ont pu se créer. L'islamisme, par exemple, est représenté par un parti qui siège au Parlement depuis qu'il a fait le choix de la non-violence et du suffrage universel. La démocratie n'est pas un gadget, c'est une culture, et le Maroc est en train de l'assimiler. On est loin d'un État exemplaire et parfait, mais les progrès sont visibles.

Les révolutions tunisienne et égyptienne ne sont pas passées inaperçues au Maroc et ont eu des répercussions sur la vie politique... L'opinion, déçue par les partis en place, attend beaucoup du roi. Le magazine francophone *Tel Quel*, très lu, a publié dans son édition du 19 au 25 février 2011 (n° 461) « 50 mesures pour rendre le Maroc meilleur » — la rédaction précise que la révolution se fera avec Mohamed VI. En voici quelques-unes :
— Alléger le protocole royal.
— Un Premier ministre qui gouverne.
— Abolir la peine de mort.
— Discuter le budget de la cour royale.
— Interdire la polygamie.
— Généraliser la sécurité sociale.
— Garantir la liberté de culte.
— Instaurer l'indépendance de la justice.
— Lutter contre l'analphabétisme.
— Revoir les lois de l'héritage.
— Revoir le code de la presse (abolition de la censure).

— Supprimer les ministères de souveraineté.

— Mettre fin aux détentions arbitraires.

— Inscrire la laïcité dans la Constitution.

— Le Parlement doit contrôler la loi des Finances.

— Corriger les manuels scolaires.

— Pour une vraie liberté politique et associative.

Beaucoup de ces propositions pourraient parfaitement, si le roi décidait de les prendre en compte, être applicables rapidement. Seules celles qui touchent à sa personne et à sa famille risquent d'être difficiles à mettre en pratique, en raison de ce que l'on appelle le « Makhzen », un système de lois et de règles non écrites, hérité de ses ancêtres, qui régit le fonctionnement de la monarchie de façon traditionnelle et ne supporte aucune contestation possible.

Au moment où j'écris ces lignes, le 9 mars 2011, j'apprends que Mohamed VI s'est adressé à la nation. Un discours télévisé de douze minutes, important, historique. Il propose une « réforme constitutionnelle globale », reconnaît « la pluralité de l'identité marocaine, unie et riche [...] au cœur de laquelle figure l'"amazighité" [c'est-à-dire la langue et la culture berbères], patrimoine commun de tous les Marocains ». Il appelle à la « consolidation de l'État de droit », à « l'indépendance de la justice » avec la prééminence de la Constitution et l'égalité de tous. Il affirme que « le gouvernement émanera de la volonté populaire exprimée à travers les urnes » et que le Premier ministre sera choisi au sein du parti arrivé en tête du scrutin ; ce Premier ministre sera « le chef d'un pouvoir exécutif responsable ». Il évoque aussi le statut de l'opposition et garantit le respect des droits de l'homme.

C'est un discours révolutionnaire, car il secoue de manière absolument nouvelle les bases d'un règne traditionnel et sans partage. L'opposition marocaine comme la presse internationale l'ont salué unanimement.

Les manifestations du 20 février 2011 n'ont pas toutes été calmes et pacifiques. Il y a eu des pillages à Marrakech comme à Tanger et cinq morts à Al-Hoceima provoqués par l'incendie d'une banque à l'heure où travaillaient encore des employés. Celles organisées le 20 mars à l'initiative du mouvement du 20 février, de l'Association marocaine des droits de l'homme, du Forum vérité et justice, d'Attac Maroc et du mouvement islamiste radical Al Adl Wal Ihsane, se sont passées sans incidents notables. Les pancartes brandies par des femmes et des hommes demandaient la démission d'Abbas el-Fassi, chef d'un gouvernement sans efficacité, sans imagination, sans importance. Elles réclamaient aussi « la fin de la corruption », « une Constitution élaborée par la volonté populaire », « la justice », et certaines affichaient ce message : « Le roi doit régner, pas gouverner ». Sur une pancarte rédigée en arabe, en tamazight et en français, on pouvait lire « Ne vole pas mon pays », et sur une autre « DST dégage ». Les réformes proposées par le roi dans son discours du 9 mars ne semblent pas satisfaire les manifestants. Ils sont impatients et ne veulent pas être oubliés par ce printemps arabe qui traverse au moment même où ils manifestent des heures tragiques en Libye, en Syrie, au Yémen et au Bahreïn. L'attentat commis à Marrakech le 29 avril 2011, probablement par al-Qaida, avait pour but de freiner la dynamique des réformes promises par le roi. C'est le contraire qui s'est produit. Le Maroc avance et poursuit sa révolution pacifique avec son roi.

Libye

Depuis la Tunisie, depuis l'Égypte, rien n'est plus comme avant dans le monde arabe. Même si des milliers de manifestants ne sortiront pas obligatoirement demain dans les rues d'Alger, de Sanaa, d'Amman, de Tripoli ou de Casablanca, il est certain que les deux révolutions auront des conséquences, tôt ou tard, sur la manière dont le citoyen arabe sera traité par les dirigeants.

On a parlé au début de contagion, d'onde de choc, mais il y a autre chose, de plus profond : cela fait très longtemps que le citoyen arabe subit des injustices, assiste impuissant à la dégradation de sa dignité, pense que les inégalités sociales sont des décisions divines et que, fatalement, Dieu l'a voulu ainsi.

Le cas de la Libye est vraiment à part. Le système de Kadhafi, une dictature d'un style très particulier, a verrouillé toutes les portes. Rien ne filtre, rien ne sort de ce pays. Pas un seul journaliste n'a pu y travailler librement et raconter ce qui s'y passe depuis des dizaines d'années. L'obscurité est totale. On devine, on imagine. Mais on ne sait rien de ce que vit et supporte réellement le peuple libyen.

Point important : la Libye n'est pas un État, c'est un assemblage de tribus et de clans que Kadhafi a maintenus dans une sorte de fiction absurde. Il n'y a pas de gouvernement dans le sens des pays modernes, pas de Parlement, pas de partis politiques. C'est Kadhafi lui-même qui est le garant de l'unité de la Libye. Une forme d'État, donc, qui n'existe nulle part ailleurs. Tel est le stratagème inventé de toutes pièces par le jeune officier qui a pris le pouvoir en 1969 pour s'emparer de tout un pays en mettant son peuple sous une chape de plomb et en lui faisant croire qu'il est « maître de son destin ». Une escroquerie que le monde entier a toujours acceptée.

C'est à cause de cette situation très particulière qu'il est extrêmement difficile de déloger le clan Kadhafi sans faire basculer le pays dans le chaos. De toute façon, il ne s'en ira pas tout seul ; il mourra les armes à la main... à moins que les Nations unies ne procèdent directement à son arrestation. Mais pour y arriver il faudra beaucoup d'imagination et d'audace, car toute intervention extérieure ne fera que le renforcer.

Depuis que Kadhafi a pris le pouvoir, on n'a jamais entendu parler de contestation, d'opposition ou de troubles. Peut-être y a-t-il eu des tentatives de révolte et ont-elles été écrasées dans le sang et en silence? On découvrira un jour l'ampleur des massacres que ce tyran a commis dans une impunité totale et arrogante. Les tribus qui réussiront peut-être à le chasser du pouvoir auront pour devoir historique de le juger, lui et sa famille, et de leur faire répondre devant un tribunal des crimes qu'ils ont commis durant plus de quarante ans.

Jusqu'à présent, à cause des richesses énergétiques du pays, l'Europe a été fort complaisante à l'égard de ce régime criminel. Qui ne se rappelle les caprices extravagants de Kadhafi lors de ses déplacements dans les capitales européennes? Il y a un an encore, tout le monde s'exécutait et avalait des couleuvres avec le sourire... Car les chefs d'État, tels Nicolas Sarkozy, Silvio Berlusconi et José Luis Zapatero dernièrement, espéraient en échange lui faire signer des contrats mirobolants. Certains ont réussi. La France s'est ridiculisée et n'a rien obtenu après une visite qui a fait couler beaucoup d'encre.

Le pouvoir en Libye est bloqué de manière névrotique. Bien que Kadhafi croie — comme Hafez al-Assad en Syrie, ou Moubarak en Égypte — que le pouvoir est héréditaire, et que son fils Seif al-Islam lui succédera à sa disparition, les choses changeront. Les Libyens, eux, le savent et sont descendus dans les rues, bravant les chars et les avions qui leur tirent dessus à balles bien réelles. Début mars 2011, la Ligue des droits de l'homme (clandestine) en Libye évoque le chiffre de 6 000 morts depuis le début de la contestation à la mi-février.

Comment sauver le peuple libyen? L'intervention extérieure sera nécessairement difficile. L'exemple américain en Irak est là pour dissuader toute initiative similaire. Seul le peuple libyen saura se débarrasser vraiment de ce dictateur.

ABSURDITÉS KADHAFIENNES

La liste est longue des comportements incohérents du colonel Kadhafi, elle remonte à sa prise de pouvoir à la fin des années 1960. Il est intéressant d'en passer quelques-uns en revue pour mieux voir quel type particulier de dictateur affronte la résistance libyenne en ce début 2011.

En déposant le roi Idriss Senoussi le 1er septembre 1969, le jeune Mouammar Kadhafi voulait imiter son idole, le raïs égyptien Nasser. Il proposa tout de suite une union avec l'Égypte, puis avec la Syrie, imagina arabiser l'Afrique, imposa que le passeport des étrangers visitant le pays soit écrit en langue arabe, inventa une République « Jamahiriya » (le mot *Jamahir* est le pluriel de *Jumhut*, la foule), et décréta par-dessus le marché que le calendrier musulman lunaire, qui débute avec l'hégire du prophète Mahomet vers Médine en 622, commencerait dorénavant *après* la mort du prophète. Tout document qui ne respectait pas cette modification était renvoyé ou mis à la poubelle...

Kadhafi a proposé aussi une union au Maroc. Hassan II, qui connaissait bien le personnage et ses folies, lui accorda cette faveur en sachant que cette union ne tiendrait pas une saison. C'est ce qui se passa. Lorsque, en novembre 1975, le Maroc lança sa « Marche verte » sur le Sahara (plus de 300 000 citoyens de tous les coins du pays marchèrent pacifiquement en vue de récupérer le Sahara occidental occupé jusqu'alors par les Espagnols), Hassan II raconta que Kadhafi lui avait téléphoné pour lui proposer de marcher aux côtés des frères marocains. Le roi le remercia et lui dit : « Non, c'est une affaire strictement marocaine. » À un journaliste qui lui demanda si c'était la seule raison de son refus, Hassan II répondit : « Non, si je donne l'ordre à mes troupes de s'arrêter, je sais qu'elles s'arrêteront ; celles de Kadhafi n'en feront qu'à leur tête... »

Après ses échecs d'union tous azimuts, Kadhafi se mit à financer le terrorisme international : en particulier l'IRA et l'ETA, et quelques autres encore. Après le 11 septembre 2001, il comprit qu'il n'avait plus intérêt à figurer sur la liste des États terroristes. Il s'arrangea donc avec les Américains et les Européens. C'est ainsi qu'on put entendre Boris Boillon, ambassadeur de France en Irak, puis en Tunisie, affirmer sur un plateau de télévision en 2010 : « Kadhafi a été terroriste ; il ne l'est plus. Il a fait son autocritique. [...] Dans la vie, on fait tous des erreurs, et on a tous droit au rachat. » Aujourd'hui, à la place, c'est son peuple que Kadhafi terrorise en lui envoyant des bombes et des missiles.

Kadhafi, comme Ben Ali et Moubarak, accorde beaucoup d'importance à son apparence physique. Il s'aime ; son narcissisme est grotesque. Il aime s'habiller. Il change d'habits jusqu'à trois fois par jour. Il porte en permanence un gilet pare-balles. On dit même que son turban est blindé ! Il s'est fait incruster des cheveux un par un sur la tête et les a teints en noir. La hantise de devenir chauve l'a toujours habité. D'après plusieurs témoins, dont son chef de protocole qui a réussi à s'enfuir, il se droguerait beaucoup. Cela se lit sur son visage bouffi, avec ces rides et ces plis grossiers. Il a un regard habité par le feu ou par une sorte de vapeur qui le rend absent. Des journalistes femmes qui l'ont interviewé rapportent souvent qu'il a essayé d'abuser d'elles.

En 2009, lors d'un discours décousu devant l'Assemblée générale des Nations unies, Kadhafi a brandi la charte des Nations unies et l'a jetée. L'assistance a été choquée mais personne n'a osé le rappeler à l'ordre.

Autre exemple, cette fois personnel. Lorsque je publiai en janvier 1975 dans *Le Monde* le premier reportage de l'intérieur sur le pèlerinage à La Mecque — un récit critique et sévère —, il fut le seul de tous les chefs d'État musulmans à intervenir auprès de Hassan II pour lui demander de me punir.

Sa famille, enfin, ne vaut pas bien mieux que lui. Ses nombreux fils sont à son image. Le plus fameux, le bien nommé Hannibal, a accumulé tant de frasques qu'il a fini par avoir de sérieux ennuis avec la justice suisse, qui s'est finalement inclinée. Chantage économique et otages en Libye lui ont permis de s'en sortir, alors qu'il était avéré qu'il battait sa femme et son personnel de maison. Tout cela, les Occidentaux le savaient. Dans les salons des ambassades, on racontait des blagues sur les délires de la famille Kadhafi, et l'on continuait à fermer obstinément les yeux — au nom du pétrole et de quelques contrats finalement jamais signés...

ILLÉGITIMITÉ ET IMPUNITÉ

Quand on débarque en Libye, dès l'aéroport, on se retrouve comme renvoyé d'un coup au temps des pays de l'Est totalitaires. Une police soupçonneuse, nombreuse, en tenue ou en civil. On est dans un pays imaginé par George Orwell et Franz Kafka réunis. Tout est figé, absurde et étrange. On est épié, surveillé, on n'est pas à l'aise. La première nuit que j'ai passée à l'hôtel fut blanche. Impossible de trouver le sommeil. Sans le secours de l'ambassade de France, qui m'a accueilli, je n'aurais pu rester dans ce pays qui m'a donné d'incessantes migraines et des envies de vomir. Ces choses-là, on les sent, on ne les explique pas toujours.

La deuxième chose que l'on remarque, c'est l'état d'immobilisme du pays. Tout a été figé à la date fatidique du 1er septembre 1969, jour où un jeune capitaine autoproclamé colonel fait un coup d'État et s'empare du pouvoir. Les gens sont tristes, parce que résignés, sans énergie. Il n'y a pas d'État, pas de gouvernement, pas d'élections, en tout cas pas de vie politique telle qu'on en connaît dans le reste du monde. En revanche, partout il y a Mouammar Kadhafi, l'homme providentiel, l'homme qui a dissous le pays dans une marmite de sorcier. Rien d'autre n'existe. Même le Coran a été remplacé par un autre livre, le *Livre vert*, qui contient les pensées du grand chef. C'est tout à la fois : la Constitution, la bible, la référence unique et suprême du pays.

Parvenir à mettre à genoux un peuple entier, lui faire avaler des affirmations extravagantes et irrationnelles, le maintenir dans l'ignorance et la pauvreté, voilà ce qu'a réussi à faire cet homme depuis quarante-deux ans, sans jamais hésiter à écraser toute tentative d'opposition. Pas de journalistes, pas de témoins, Kadhafi est hors d'atteinte, il est le maître absolu et arrogant. On a souvent évoqué ses troubles psychiques. Nul besoin d'une analyse poussée pour s'en rendre compte. Il suffit de le regarder : son narcissisme est pathologique ; son égocentrisme est pathétique ; et son arrogance est terrifiante.

Il aurait pu connaître le sort de Saddam Hussein après avoir été impliqué dans deux attentats contre des avions civils qui ont coûté la vie au total à 440 personnes (le Boeing de la compagnie Pan Am explose au-dessus de Lockerbie le 21 décembre 1988 et fait 270 victimes ; l'avion français DC-10 d'UTA explose au-dessus du Niger le 19 septembre 1989 avec 170 passagers). Mais il s'en est sorti. Kadhafi est malin ; après avoir été condamné par plusieurs résolutions de l'ONU et avoir subi un boycott durant plusieurs années, il s'est précipité pour accepter tout ce que demandaient les Américains et a payé 2,7 milliards de dollars pour « réparer » le malheur que ses agents avaient causé.

Aujourd'hui, son fils Seif al-Islam promet à la télévision un « fleuve de sang » aux manifestants. Au matin du 21 février, on comptait déjà 233 morts (mais comment avoir des chiffres précis ? Ce ne sont, une fois de plus, que les estimations de Human Rights Watch).

D'autres tueries suivront, c'est inévitable, car le fils comme le père sont des barbares qui ne connaissent que la loi du sang, la répression féroce et l'impunité.

Mais si Kadhafi a donné l'ordre de tirer sur les Libyens, c'est parce qu'il sait qu'il est condamné, que tôt ou tard il devra quitter le pouvoir et le pays. La promesse de son fils de doter le pays d'une Constitution est illusoire. Kadhafi le sait si bien qu'il ne partira qu'après avoir massacré le plus de Libyens qu'il aura pu. C'est un homme tragique : il « se défend » comme si quelqu'un avait attaqué sa propre maison. Car la Libye est sa maison, sa tente, son bien personnel. Il ne comprend pas comment on a osé contester sa main-mise sur ce qu'il considère comme sa propriété. Alors il tue. Il n'a aucune notion du droit, ni de ce qui est légitime ou pas. Toute sa vie, il l'a vécue en se mettant au-dessus des lois, même internationales. De ces hauteurs où il plane, il écrase sans état d'âme, à l'arme lourde, des manifestants qui réclament de vivre dans la dignité, la liberté et la démocratie. Ce sont des valeurs qui ne font pas partie de son univers. Dans son *Livre vert*, il a inventé une nouvelle façon de régner et de soumettre le peuple en lui donnant l'impression qu'il est le gestionnaire de son propre destin. Un mensonge, une honte.

Mais quand il clame, et ses fils à sa suite, qu'il mourra en Libye, il parle comme une bête traquée, qui ne sait plus où aller. Aucun de ses « amis » n'acceptera de le recevoir désormais et de céder comme avant à ses caprices. L'ONU bouge, maintenant. L'Union européenne et les États-Unis aussi. Sa situation d'exception dans la communauté internationale est définitivement terminée, et le Tribunal pénal international parviendra peut-être un jour à le juger.

HOMMAGE À MOHAMED AL-NABBOUS

Cet ingénieur en télécom est le symbole de la résistance de Benghazi. C'est l'inverse de Kadhafi. C'est à travers son blog que l'opinion mondiale a été alertée des massacres que commettaient en toute impunité les mercenaires de Kadhafi. Il a filmé avec sa caméra puis mis en ligne des images d'horreur. Il était en contact avec StreetPress à qui il a régulièrement envoyé ses informations. Lui qui criait : « N'oubliez pas la Libye », s'étonnant de voir les agences de presse étrangères déserter Benghazi, lui qui n'a cessé de réclamer que l'on porte secours à un peuple en danger, il a reçu une balle tirée par un sniper. Il était en train de filmer les attaques de l'armée libyenne contre la population civile...

Le mercredi 16 mars, trois jours avant sa mort, voici ce qu'il écrivait sur son blog : « Écoutez les amis. Être fort ou faible n'est pas important aujourd'hui. Ce qui compte, c'est d'être vivant ou mort, et on doit faire quelque chose maintenant. »

Sa femme a annoncé son décès ainsi : « Mo est mort. »

Elle est enceinte.

RÉSOLUTION 1973

Dans la nuit du 17 au 18 mars 2011, malgré la réticence de certains, avec beaucoup de retard, et grâce à la France, le Conseil de sécurité des Nations unies a enfin voté la résolution 1973 en vue de sauver la population civile de la hargne meurtrière de Kadhafi et de ses mercenaires. Ce retard et ces réticences s'expliqueraient ainsi : certains membres de la Ligue arabe ainsi que les États-Unis auraient cédé aux pressions saoudiennes (probablement aussi de la Syrie et de l'Algérie) pour mettre fin à ce vent de révolte. Il n'a échappé à personne que l'armée saoudienne a prêté main-forte au pouvoir de Bahreïn pour réprimer la contestation qui gronde. D'après l'agence Reuters, le 15 mars 2011, au moins 200 personnes étaient mortes dans les affrontements entre manifestants et forces de l'ordre à Manama.

Mais la résolution 1973 et les récentes frappes aériennes ne suffiront pas à régler le problème libyen, d'autant que les États-Unis, après l'Irak et l'Afghanistan, ne veulent pas « intervenir » de manière directe dans un troisième pays musulman.

Kadhafi est tout à fait en mesure de riposter à l'intérieur du pays contre des forces rebelles, mal équipées, désorganisées et sans formation militaire, tout comme à l'extérieur, en réveillant par exemple, du jour au lendemain, ses cellules dormantes dans le monde afin de leur faire commettre des attentats un peu partout. L'ONU doit donc se donner impérativement pour objectif de l'arrêter le plus vite possible et de le juger. Mais, méfiance, Kadhafi est du genre à avoir tout prévu...

Conclusion

Les « vieux turbans », les dictateurs, les agents de sécurité, les *moukhabarats* (services de renseignements), tous ceux qui ont exercé le pouvoir de manière brutale, qui ont commis des crimes restés impunis sont aujourd'hui désemparés. Ils sont incapables d'analyser la crise actuelle. Que leur peuple se soulève et se révolte était bien la dernière chose à laquelle ils s'attendaient. Ils pensaient l'avoir assez maté, assez humilié et écrasé pour qu'il ne se réveille jamais. Les méthodes qu'ils employaient avaient fait leurs preuves dans les pays d'Amérique latine, dans les pays communistes à l'époque soviétique, comme dans certains pays d'Afrique, il n'y avait aucune raison qu'ils en changent. Tous les leaders arabes ont pratiqué la dictature de manière étudiée, en assurant leurs arrières, et puis l'époque et l'Occident leur donnaient raison, ou du moins ne les contrariaient pas. Jamais ils n'avaient pensé que leur chute serait aussi dure et irrémédiable. D'ailleurs, on voit bien qu'ils ont tous été pris de panique : ils ont tous fait tirer dans la foule, tuer, ont persévéré dans leur stupidité et redoublé de férocité.

Lors de ce printemps, ces dictateurs ont découvert que le vent de liberté, parti d'un petit pays, est plus fort, plus violent que toutes les bourrasques qu'ils provoquaient quand ils réprimaient, torturaient et assassinaient des citoyens dont le seul crime était de réclamer la liberté et la dignité.

Aujourd'hui, après la Libye, c'est au tour de la Syrie de vaciller, cette vieille dictature exercée de père en fils depuis quarante et un ans. Un moment historique, puisque c'est la première fois depuis un demi-siècle que les gens descendent dans la rue pour dénoncer la cruauté de ce régime. Et c'est évidemment de manière cruelle que, le 15 mars 2011, le pouvoir a répondu aux manifestants de Daraa (une ville située à 100 kilomètres au sud de Damas) en tuant 100 personnes dont des enfants.

Ces régimes se défendront par tous les moyens, car leurs dirigeants savent qu'ils n'ont pas de légitimité et qu'ils n'ont nulle part où aller. C'est ce qui arrive à Kadhafi et c'est ce qui arrivera à Bachar al-Assad s'il ne renonce pas à la brutalité et au crime.

Cette violence libératrice ne sera pas contenue par la répression. Elle est vive et créatrice. Elle est portée par une nouvelle génération de jeunes, dont certains ont vécu à l'étranger et ont, contrairement à leurs parents, ouvert les fenêtres qui donnent sur le monde. Ils ont vu comment d'autres jeunes vivaient, ils ont constaté combien la liberté est synonyme de vie. Comme dans un rêve, ils ont entrevu soudain qu'ils avaient eux aussi la possibilité de vivre mieux, d'en finir avec les dictatures, de retrouver un peu de dignité. Comment? Par quels outils? Par le simple fait de communiquer, d'échanger des idées, des projets. Le monde est immense mais il est désormais à portée de main (de clic). Le temps n'avance plus à la même vitesse depuis que l'information peut se diffuser quasiment en temps réel.

Tous ces jeunes aujourd'hui se demandent comment leurs parents ont bien pu accepter de vivre sous des dictatures immondes. La nouvelle génération a ceci de particulier : elle n'a pas peur! Le cas du Libyen Mohamed al-Nabbous est éloquent. En Syrie, des adolescents sont sortis écrire des slogans anti-régime sur les murs : ils ont été aussitôt arrêtés et sauvagement torturés; mais, le lendemain, d'autres adolescents prenaient la relève.

Le message de cette nouvelle génération se répand partout. Elle est diverse — la jeunesse de Tunisie n'est pas celle d'Égypte — et semblable à la fois. Elle vit dans le pays et communique avec ceux qui vivent hors du pays. Elle a en commun les mêmes exigences, les mêmes urgences. Et cela, les régimes autoritaires non seulement ne l'ont pas prévu mais ne le comprennent pas. Ils découvrent que cette révolte n'est pas négociable et que plus rien ne l'arrêtera. C'est cela qui est nouveau et historique.

Ce que ces révoltes donneront dans l'avenir est encore incertain. Il y aura des erreurs, des tâtonnements, peut-être des injustices, mais ce qui est sûr, c'est que plus jamais un dictateur ne pourra fouler aux pieds la dignité de l'homme arabe. Ces révoltes nous apprennent une chose simple et qui a été tellement bien dite par les poètes : face à l'humiliation, tôt ou tard, l'homme refuse de vivre à genoux, réclame au péril de sa vie la liberté et la dignité. Cette vérité est universelle. Il est heureux que ce soit, en ce printemps 2011, les peuples arabes qui la rappellent au monde.

Œuvres de Tahar Ben Jelloun (suite)

L'ENFANT DE SABLE, 1985 (Points-Seuil).

LA NUIT SACRÉE, 1987 (Points-Seuil). Prix Goncourt.

JOUR DE SILENCE À TANGER, 1990 (Points-Seuil).

LES YEUX BAISSÉS, 1991 (Points-Seuil).

LA REMONTÉE DES CENDRES suivi de NON IDENTIFIÉS. Édition bilingue, version arabe de Kadhim Jihad, 1991 (Points-Seuil).

L'ANGE AVEUGLE, 1992 (Points-Seuil).

L'HOMME ROMPU, 1994 (Points-Seuil).

ÉLOGE DE L'AMITIÉ, Arléa, 1994. Réédition sous le titre ÉLOGE DE L'AMITIÉ, OMBRES DE LA TRAHISON (Points-Seuil).

POÉSIE COMPLÈTE, 1995.

LE PREMIER AMOUR EST TOUJOURS LE DERNIER, 1995 (Points-Seuil).

LA NUIT DE L'ERREUR, 1997 (Points-Seuil).

LE RACISME EXPLIQUÉ À MA FILLE, 1998. Nouvelle édition en 2009.

L'AUBERGE DES PAUVRES, 1999 (Points-Seuil).

CETTE AVEUGLANTE ABSENCE DE LUMIÈRE, 2001 (Points-Seuil). Prix Impac 2004.

L'ISLAM EXPLIQUÉ AUX ENFANTS, 2002.

AMOURS SORCIÈRES, 2003 (Points-Seuil).

LE DERNIER AMI, 2004 (Points-Seuil).

LES PIERRES DU TEMPS ET AUTRES POÈMES, 2007 (Points-Seuil).

Chez d'autres éditeurs

LES AMANDIERS SONT MORTS DE LEURS BLESSURES, Maspero, 1976 (Points-Seuil). Prix de l'Amitié franco-arabe 1976.

LA MÉMOIRE FUTURE. Anthologie de la nouvelle poésie du Maroc, Maspero, 1976.

À L'INSU DU SOUVENIR, Maspero, 1980.

LA FIANCÉE DE L'EAU suivi de ENTRETIENS AVEC M. SAÏD HAMMADI, OUVRIER ALGÉRIEN, Actes Sud, 1984.

ALBERTO GIACOMETTI, Flohic, 1991.
LA SOUDURE FRATERNELLE, Arléa, 1994.
LES RAISINS DE LA GALÈRE, Fayard, 1996.
LABYRINTHE DES SENTIMENTS, Stock, 1999 (Points-Seuil).

*Achevé d'imprimer
sur Roto-Page
par l'Imprimerie Floch
à Mayenne, le 17 mai 2011.
Dépôt légal : mai 2011.
Numéro d'imprimeur : 79440.*

ISBN 978-2-07-013471-7/Imprimé en France.

184743